Merci,

Bonne lecture.

Amitiés André.

2001

André Deschamps

jalousie
ombre rageuse

La Plume d'Oie
ÉDITION

La Plume d'Oie Édition

André Deschamps

ISBN : 2-89539-066-5

Dépôt légal – Bibliothèque nationale du Québec, 2001

Dépôt légal – Bibliothèque nationale du Canada, 2001

L'aquarelle de la page de couverture : Louise Dumas, aquarelliste

Photographie de l'auteur : Gilles Gaudreault, photographe

Cette publication est dirigée par :

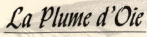

La Plume d'Oie

ÉDITION – CONCEPT

199, des Pionniers Ouest

Cap-Saint-Ignace (Québec) G0R 1H0

Téléphone et télécopieur : 418-246-3643

Courriel : laplume@globetrotter.qc.ca

Site Internet : laplumedoie.com

Merci à tous ceux

qui m'ont encouragé

et qui ont cru en moi

jALOUSIE OMBRE RAGEUSE

C'EST l'été, le mois de juillet. Les insectes piqueurs sont moins voraces depuis quelque temps. En cette matinée, le soleil joue à cache-cache avec de gros nuages moutonneux qui annoncent un orage. Pour Dominique, la perspective d'une telle chose le réconforte. Cela fait plus de deux semaines qu'il y a canicule. Bientôt, qui sait, on lui interdira peut-être de scier du bois sur son propre lot, en raison des risques d'incendie. Scie à chaîne à la main, il achève d'abattre un érable majestueux sous l'ardeur d'une vieille Pioneer qui tranche dans le bois frais, recrachant la sciure blanche par derrière, rugissant comme une bête vorace et impitoyable. Cet arbre magnifique, le vieil homme a hésité un peu avant de se décider à le bûcher. Mais il est temps de le faire, car le bois mort dans la cime indique que le dessèchement a commencé son œuvre.

Dominique est la preuve vivante qu'on ne peut rien contre le dessèchement et le temps qui fuit. Cela lui fait déjà soixante-seize ans, et depuis trois semaines, il avance vers ses soixante-dix-sept. Il pourrait en parler longuement du dessèchement et du temps qui file, lui qui ne s'estime pas plus que cet arbre agonisant, qui vient de s'écraser lourdement sur le flanc. Il commence à l'ébrancher. Tout ce bois qu'il coupe lui servira à se chauffer à l'hiver 2002. Pour l'hiver qui vient, son bois est déjà prêt, sec et bien cordé sous l'appentis de sa cabane.

Le lot à bois et la cabane sont les seules choses matérielles ayant survécu au raz-de-marée qui rasa son existence, voilà plus d'un demi-siècle. La cabane fut bâtie par son père avant même qu'il soit né. Après plus de quatre-vingts ans, elle est encore solide, bien assise sur ses fondations de pierre, revêtue de sa robe de bardeaux de cèdre et d'un toit de cèdre également. Elle trône aux abords de la rivière Sacrée, sous l'asile des ramures ombrageuses des grands feuillus et des épinettes. Dominique y vit maintenant depuis plus de cinquante-six ans. À Jérico — c'est le nom de son village —, presque tout le monde croit que le vieux Dominique a perdu la raison. On dit que la solitude l'a rendu fou et aussi imprévisible qu'une bête sauvage. Les plus vieux, ceux qui l'ont bien connu, pensent qu'on finira par le retrouver pendu à une corde, se balançant pitoyablement à la branche d'un érable. Depuis tout ce temps, on rétorque que, s'il avait voulu le faire, il l'aurait fait depuis longtemps. Les plus romantiques se plaisent à penser qu'il n'est pas aussi fou et aussi désœuvré qu'on le croit, et qu'une présence bénéfique cohabite avec lui. Ceux-là n'ont pas tout à fait tort. Catherine est toujours là. Chère Catherine, mourir si jeune et de façon si gratuite. Il y a cinquante-six ans déjà...

Par une journée radieuse de l'été 1944, Dominique arriva au village avec sa fiancée dans les bras : sa longue robe blanche maculée de sang, sa tête renversée sur le bras du porteur, ses longs cheveux d'or touchant presque le sol. Elle avait été tuée par un mystérieux inconnu. Dominique disait l'avoir trouvée gisant sur les cailloux aux abords de la route des Sauvages. En dessous d'elle, une grande tache de sang noircissait le sol aride dont elle avait fait son dernier lit. On l'avait poignardée. On mena une enquête, mais jamais personne n'arriva à élucider le mystère qui entourait la mort de Catherine Lachance. Coïncidence étrange : peu de temps après le drame, on souligna la disparition de Mario Langlois, l'un des soupirants de la belle regrettée. Les soupçons pesèrent surtout sur ce dernier. On ne le revit jamais. Dominique se refusa à accepter la cruauté du sort. La mort précipitée de celle qu'il allait bientôt prendre pour épouse le fit basculer dans un univers à part. Aux yeux de tous, plus rien ne comptait pour lui que de conserver intact et vivant le souvenir de sa douce. Il laissa tomber son travail à la fonderie, revendit son automobile qu'il venait tout juste d'acquérir, se départit de tous ses biens matériels et ne conserva que quelques effets de première nécessité. Il quitta père et mère, qui habitaient le village, et partit s'enfermer dans la forêt entre les murs de la cabane que son père lui avait léguée, en même temps que le lot à bois, deux ans plus tôt.

« Sévère dépression ! » disait le docteur que la mère de Dominique alla rencontrer. Elle voulait se faire rassurer sur l'état mental de son fils. Loin de la rassurer, le docteur faillit la rendre folle avec son verdict alarmiste. « Votre fils aura besoin d'être entouré. Ne le laissez pas seul, il pourrait poser un geste fatal ! » Madame Lapierre quitta le cabinet ce jour-là remplie de fortes appréhensions.

Le bruit se mit à courir très vite selon lequel Dominique Lapierre irait bientôt rejoindre la belle Catherine dans l'autre monde. Pourtant, cinquante-six ans se sont écoulés et Dominique n'a toujours pas quitté cette bonne vieille terre. Serait-ce que les plus romantiques disent vrai ? Que l'âme de Catherine n'a jamais quitté celle de Dominique ? Peut-on croire à une telle chose sans être accusé d'hérésie ? Seul Dominique connaît le secret.

L'intérieur de la cabane est constitué d'une chambrette, d'une cuisinette où trônent une table, deux chaises, un petit frigo au propane, un poêle à bois, qui repose dans un coin, et tout près, une berçante ainsi que beaucoup de livres qui s'alignent sur de longues tablettes flanquées contre le mur en bois rond. Dominique développa une réelle fascination pour la lecture dès le début de son ermitage. À l'intérieur de la cabane s'exhale un parfum de bois de cèdre qui chatouille les narines agréablement et dégage à la fois une douce chaleur primitive, rassurante, celle de la solidité et de l'authenticité.

Bien sûr, tout au long de ces années de réclusion, Dominique dut assurer sa subsistance. Son capital à la banque étant bien maigre, il n'eut d'autre choix que de se résigner à couper du bois pour mettre à manger sur sa table. Le résineux abondait et la demande était grande. Il coupa le bois, le tira jusqu'au grand chemin avec un cheval emprunté, et le camion passait prendre le bois. Pour la circonstance, il avait construit une sorte d'écurie, à côté de sa cabane, afin de loger le cheval le temps que durait la corvée. Il le nourrissait à l'avoine. À chacune de ses visites au village, que ce soit pour aller chercher son courrier au bureau de poste ou pour faire des achats au magasin général, on en profitait pour l'assaillir de questions. Mais il les éludait habilement. On le voyait repartir avec son lourd bagage sur les épaules, robuste, droit comme une épinette noire, le visage fermé comme un tombeau. Certains l'appelaient le coureur des bois, d'autres le sauvage, l'ermite, le fou, l'âme tourmentée. Mais les bienveillants, ceux qui lisaient dans le cœur des gens, le nommaient : l'infortuné Dominique.

Évidemment, à l'époque du drame, on ne put empêcher la rumeur de courir selon laquelle il était peut-être l'assassin de Catherine. Aujourd'hui encore, la rumeur persiste et fait encore frissonner les femmes esseulées lorsque, de leur fenêtre, elles voient passer sa longue silhouette, tel un loup à la brunante en quête d'une proie.

Maintenant que l'arbre est ébranché, le vieux Dominique arrête sa scie et part se rafraîchir à la rivière, qui coule tout près. Le ciel s'assombrit. Seulement à l'odeur, il sait que la pluie a commencé à tomber de l'autre côté de la montagne. Il sait aussi que cette pluie ne tardera pas à venir se déverser sur sa forêt assoiffée. Sa vieille camionnette, une Dodge de couleur bleue, est restée près de l'arbre abattu. La fraîcheur de l'eau le ragaillardit. Il en avale quelques lampées au creux de ses mains. La cabane est juste là, sur l'autre versant. C'est alors qu'il voit surgir un vison de la forêt, lequel se jette à l'eau précipitamment. À sa suite arrivent un coyote et une mouffette qui s'empressent de s'abreuver. Dominique est médusé et amusé à la fois. Les deux bêtes, qui sont habituellement ennemies, semblent soudain en parfaite harmonie et boivent goulûment. Que signifie ce cirque ? Il remarque aussitôt qu'en amont de la rivière, l'eau est teintée de rouge. Le déferlement amène assez vite le liquide coloré jusqu'à lui. Il se penche pour mieux voir. Du sang ! Oui, du sang coule dans la rivière. D'où cela peut-il provenir ? Le vieil homme passe une main dans ses cheveux blancs, plisse le front, s'interroge. Les bêtes se délectent littéralement. En peu de temps, du plus loin que peut porter sa vue, d'est en ouest, le cours d'eau n'est plus qu'une voie déferlante et sanguinolente. C'est hallucinant ! Toutefois, Dominique se souvient que dans le passé, il a cru remarquer ce phénomène à quelques reprises. Mais comme il était sur la montagne chaque fois que cela se produisait, il avait attribué la chose à un courant entraînant une vase rouge. Aujourd'hui, c'est différent. Il est là sur les bords et peut confirmer que ce n'est pas de la vase. C'est bel et bien du sang. Il goûte même à l'eau pour confirmer la chose.

Alors, progressivement, en amont, la rivière commence à s'éclaircir. La mouffette et le coyote repartent dans la forêt et le vison jaillit hors de l'eau, à la vitesse de l'éclair, pour se perdre furtivement dans les broussailles. Le courant continue de charrier tout le sang en aval, et la rivière retrouve ainsi toute sa clarté, sous le regard éberlué de Dominique, qui croit avoir rêvé. Un frisson glacé lui parcourt l'échine. Il songe à rentrer à la cabane pour se reposer. Il a trop travaillé ces derniers temps.

❖　❖　❖

LE lendemain matin, on remarque l'absence de Pauline et de Cédric à la réunion des Nouveaux Artistes. Ces derniers forment une troupe de douze adeptes. Ils ont seize ou dix-sept ans, sont tous dans la même classe et affectionnent les arts, que ce soit la poésie, le chant, la danse, la littérature, la peinture, la sculpture, l'art dramatique... Chacun d'eux possède un talent particulier, une passion qui lui est bien distincte. Comme ce sont les vacances d'été, ces réunions hebdomadaires sont une occasion de garder le contact entre eux et une façon de stimuler leur talent créateur. À chacune des rencontres, ils parlent de leur passion, montrent le fruit de leurs efforts, révèlent leurs rêves les plus secrets, leurs aspirations futures. Ils désirent tous faire les beaux-arts. Ces séances peuvent durer des heures. En réalité, elles n'ont qu'un but : faire en sorte qu'ils croient en eux. Aussi, chacun d'eux porte une bague identique à l'auriculaire en signe d'appartenance.

Cependant, l'absence de Pauline et de Cédric leur paraît étrange. La veille encore, tous deux ont confirmé leur présence auprès de Sophie, la présidente du groupe. Aujourd'hui, la réunion se tient sous le chêne centenaire, près de la rivière Sacrée. Cet arbre ne compte plus le nombre d'amants venus s'allonger à son ombre. Dressé fièrement aux abords de la rivière, majestueux, gigantesque, presque tout le village de Jérico est venu s'y assoupir. C'est de loin le plus beau spécimen végétal de toute la région. Tout le monde à Jérico connaît le vieux chêne rouge. Derrière, la montagne le protège des grands vents du sud, qui n'auraient aucun scrupule à venir le déraciner dans la tourmente.

Les jeunes gens se sont installés en cercle à l'ombre du chêne. Ils ne seront que dix aujourd'hui. Marco, l'un des quatre garçons, remarque une cicatrice fraîche sur le tronc de l'arbre. Il se lève et observe.

« Venez voir ! s'étonne-t-il en montrant la gravure dans l'écorce. Ce sont les initiales de Pauline et de Cédric. PS pour Pauline Sarrasin et CD pour Cédric Dumont. »

Quelques-uns se lèvent.

« Ils n'ont pas fini de tracer les cœurs », constate Céline, une jeune blondinette aux grands yeux verts. Marco ne semble pas accoutumé à ce rituel amoureux. Céline lui explique qu'il est coutume pour les amants d'enchaîner leurs cœurs sur le tronc d'un arbre en y inscrivant leurs initiales. Mais elle remarque que Cédric et Pauline — puisque ce sont, selon toute apparence, leurs initiales qui sont là — n'ont pas fini leur œuvre. Le cœur de la fille est à peine amorcé, contrairement à celui du garçon qui est complété.

« Pourquoi s'est-elle arrêtée ? » demande Sophie, la présidente du groupe et assurément la plus jolie fille de toutes. Elle est demeurée assise près d'eux et n'a rien manqué de leurs propos. Férue de littérature romanesque et de grandes histoires d'amour, elle se destine à une carrière de romancière.

« Sans doute avaient-ils mieux à faire », précise Michaël, assis en face d'elle, lui lançant un de ses fameux regards pervers.

Sophie baisse les yeux et hoche la tête. Il est si peu romantique quand il s'y met. Michaël est son petit ami. Ils se fréquentent depuis plus d'un an. Il est trop enclin aux choses sexuelles. Elle se rend bien compte qu'il ne pourra jamais satisfaire son besoin de romantisme. Elle réalise de plus en plus qu'il n'éprouve pour elle qu'un attrait physique, purement possessif, étant donné que tous les gars de la classe l'ont élue la plus belle fille de l'école. Ses longs cheveux noirs ondulants, tombant dans son dos, ses yeux bruns, son corps soigneusement sculpté et son sourire éclatant la démarquent parmi les autres. Âgée de dix-sept ans, elle songe de plus en plus à rompre avec Michaël. Même s'il a les plus beaux yeux verts de la terre et la plus jolie gueule du comté, cela ne suffit plus à faire de lui l'élu de son cœur. Parfois, dans l'œil timide et bleu comme l'azur de Gino, elle croit déceler un brin de ressemblance avec elle-même, une tendresse similaire, une légère tendance à la rêvasserie, un petit côté romantique qu'elle connaît bien. Mais Gino est si réservé qu'il est difficile de tenter une approche.

Lui aussi est penché sur le tronc de l'arbre et essaie de comprendre le pourquoi de ce travail inachevé. Selon lui, cela n'a pas de sens. On ne grave pas ses initiales sur un arbre avec son fiancé, en négligeant de les encercler d'un cœur. D'ailleurs, le tronc de cet arbre est rempli de témoignages d'amour comme celui-là, datant de toutes les époques, certains étant décryptables, d'autres à peine. L'un en particulier semble dater de très loin, car l'entaille est déformée, noircie, agrandie, et plus aucune inscription n'y paraît. Que de mystères... Le vieux chêne en aurait long à dire s'il pouvait parler.

« Ils vont revenir terminer ça une autre fois », les rassure Céline en agitant les mains pour oublier cette affaire et pour en revenir à la raison principale de leur réunion. Elle s'assoit sur le sol. Les autres font comme elle.

— C'est quand même bizarre, lâche Gino en s'assoyant près de Jacques, le costaud, celui qui rêve un jour de sculpter les plus belles œuvres du monde.

— Tu l'es bien bizarre et on t'accepte avec nous, réplique Michaël, qui se croit drôle.

Gino est habitué à ses blagues de mauvais goût. Sophie hoche la tête. Sa décision est prise, elle va rompre bientôt. Ce garçon est trop stupide. Quoi qu'il en soit, elle les ramène tous à l'ordre en sa qualité de présidente de groupe et annonce l'ouverture de la séance. Aujourd'hui, on va parler des aspirations profondes de chacun. « Qui veut prendre la parole le premier ? » demande-t-elle. Ils sont tous assez pudiques, comme le sont les âmes d'artistes. Évidemment, Michaël est l'exception à la règle. Il se lève, se place au milieu du cercle et, du haut de sa taille imposante, leur dit, avec le soleil qui perce le feuillage et vient éclairer son profil d'acteur :

— J'aspire à conquérir le monde grâce à mon fabuleux talent d'acteur et à mon charme naturel. Je veux monter sur les plus prestigieuses scènes, interpréter Shakespeare dans *Roméo et Juliette*, *Hamlet*, *Othello*...

– *Othello* ! Très bon choix ! dit vivement Sophie, dont les mots lui jaillissent de la bouche comme un virus mortel dont on se libère enfin.

Michaël se retourne vers elle, interloqué. Gênée et consciente de son attitude déplacée, elle se racle la gorge et tire sur les brins d'herbe.

– *Othello* ? l'interroge Michaël. Pourquoi *Othello*, Sophie ?

Tous les autres connaissent les liens qui unissent Sophie et Michaël. Ils la regardent tous. Ils connaissent aussi *Othello*, la fameuse pièce de Shakespeare qui traite de l'amour jaloux, passionné, dément, fourbe, mais aussi de l'amour pur.

« Quel rôle dois-je y tenir, selon toi ? » insiste le jeune homme, qui croit déceler un message très important dans l'attaque surprise de son amie de cœur. Comme elle hésite à répondre, il reformule la question. Sophie, jeune fille romantique douée d'une grande sensibilité, lève les yeux lentement sur lui. Il la regarde de ses grands yeux remplis d'incertitude, le cœur battant. Il connaît si bien *Othello*. Que veut-elle insinuer ?

« Tu ne veux pas me voir jouer le rôle de Desdémone ? » lui dit-il pour plaisanter. Quelques-uns trouvent cela amusant et rient, ce qui détend un peu l'atmosphère. Sophie sourit et lui dit avec l'air de blaguer, ce qui ne lui ressemble pas beaucoup :

– Le rôle d'Othello t'ira à merveille.

– Mais ce n'est qu'un rôle, Sophie, de répondre Michaël en s'accroupissant devant elle.

Il lui prend la main et plonge son regard profondément dans le sien, car il sent qu'elle a décelé en lui une faille. Elle est toute retournée. C'est un regard dominateur, fourbe et possessif. Elle retire sa main vivement et rétorque sans ménagement : « Celui d'Iago aussi t'irait à merveille ! »

Puis elle se lève et accourt jusqu'à la rivière. Elle n'a plus envie de plaisanter. Son amie Carmen va la rejoindre. Michaël s'esclaffe devant tant de sensiblerie et proclame tout haut l'histoire d'*Othello*.

— Pauvre Desdémone, elle meurt étouffée par son amant sous un oreiller. Othello, passionné d'amour pour elle, s'est laissé empoisonner l'esprit par la fourberie d'Iago, qui l'a convaincu de la soi-disant infidélité de Desdémone. Lorsqu'il découvre l'absurdité de son geste, Othello met fin à ses jours.

Michaël s'exprime avec de grands gestes, portant souvent la main à son cœur, accusant des airs d'affliction et terminant sa tirade en se jetant à genoux dans l'herbe, pour finir en éclatant d'un rire sardonique. « Sophie ! s'écrie-t-il alors, reviens ici ! » Il l'aperçoit debout près du rivage dans l'éblouissante luminosité du soleil, son amie Carmen à son épaule. Est-ce qu'elle pleure ? « Sophie ! Reviens ! » Il décide d'aller la retrouver. Il se lève, mais trébuche aussitôt. Quelque chose le retient à la cheville. C'est alors qu'il aperçoit une liane nouée à son pied droit. Et juste au moment où il essaie de la casser, il la voit se dénouer d'elle-même et être aspirée de façon hallucinante dans le sol. Sa main reste suspendue dans un geste et son cerveau dérape. Jacques, le costaud, le regarde et lui demande ce qu'il fabrique à quatre pattes.

Recouvrant brusquement ses esprits, Michaël se remet debout et va se rasseoir à sa place initiale sans rien ajouter. Enfin, Sophie et Carmen reviennent à l'ombre du chêne. L'affaire d'*Othello* tombe dans l'oubli. Carmen a su trouver les mots pour apaiser son amie. Sophie est soulagée de voir que Michaël s'est calmé. Il la regarde avec insistance, mais n'ose plus proférer un seul mot. Il semble abasourdi. Que signifient ce silence et ce retournement soudains ? Michaël est si imprévisible. Gino remarque le malaise de Sophie. Il se gratte distraitement l'épaule gauche en épiant furtivement les amants en déchéance.

❖ ❖ ❖

EUX jours se sont écoulés. On n'a plus eu de nouvelles de Pauline Sarrasin et de Cédric Dumont depuis la nuit qui a précédé la séance des Nouveaux Artistes. Les parents des deux disparus sont au paroxysme de l'inquiétude et de l'horreur. Les autorités de la place sont sur l'affaire. On pense à une fugue, un enlèvement, un accident, un meurtre. On ne sait plus quoi penser. Sophie semble être la dernière personne qui leur a parlé, au téléphone, pour avoir confirmation de leur présence pour la séance du lendemain. L'inscription inachevée sur le tronc du vieux chêne, près de la rivière Sacrée, prouve qu'ils étaient à cet endroit à un moment précis. Et grâce aux observations des gens venus se prélasser sous le chêne tout au long de la journée du lundi 5 juillet, ceux-ci ont été formels : il n'y avait aucune inscription fraîche sur le tronc de l'arbre, même jusqu'à neuf heures du soir, heure à laquelle sont partis les deux derniers amoureux. Selon leurs dires, Cédric et Pauline ne s'étaient pas encore montrés. À quelle heure les deux disparus étaient-ils passés sous le chêne pour tracer leurs cœurs ? Impossible de répondre. Cependant, une chose demeure : cette inscription sur l'arbre fut la dernière marque de leur passage à Jérico.

On a soulevé l'hypothèse que peut-être quelqu'un d'autre aurait gravé leurs initiales sur le tronc pour semer la confusion. Un genre de rituel d'un psychopathe, qui s'avérerait être le meurtrier. Mais la majorité des membres de la troupe des Nouveaux Artistes, ayant été sommés de faire une déposition devant les autorités, n'en démordent pas : d'après leur analyse, le cœur inachevé de Pauline révèle qu'elle n'a pas eu le temps de finir son ouvrage, qu'on l'en a empêchée et que cela prouve qu'une tierce personne est arrivée sur les lieux. On pense qu'ils ont été tués sur place et enterrés aux alentours. De vaines recherches menées par les policiers ajoutent à l'affliction des parents éplorés. Il est dix heures du matin en ce jeudi 8 juillet, lorsqu'on découvre un véhicule tout terrain

17

abandonné, dissimulé dans les buissons, à quelques centaines de pieds du chêne. Il est la propriété de Marcel Dumont, le père de Cédric. Plus de doute maintenant : les deux gamins sont venus sur place et n'en sont jamais repartis de leur plein gré.

Une atmosphère de terreur règne alors sur Jérico. C'est comme si un vent rageur aurait fait se retourner plusieurs pages dans le grand livre du temps, ramenant d'un seul coup le petit village à une époque lointaine où sévissait alors l'horreur d'un crime impuni, celui de Catherine Lachance. Les mêmes questionnements, la même angoisse, la même folie collective s'emparent à nouveau de la région tout entière. On dit qu'un tueur rôde, et qu'il est désormais périlleux de s'aventurer dans la nature. Jérico redevient l'asile d'une folie imaginaire dont sont sujets surtout les plus âgés, ceux qui ont connu l'effroi de ces années où planait l'imminence d'une menace réelle.

Veuve Chagnon, comme on la surnomme, vit sur la route des Sauvages. C'est sur les bords de cette route, jadis, qu'on avait retrouvé morte Catherine Lachance. La maison de veuve Chagnon se situe en bas de la Côte Croche, sise aux abords de la forêt, baignée de soleil en ce matin mortifère, alors que l'occupante des lieux, vieille et frissonnante, vient d'apprendre l'affreuse nouvelle à la radio. C'est d'une main tremblante qu'elle coupe le son. « Nous sommes châtiés une deuxième fois ! » pense-t-elle en faisant un signe de croix, ses petits yeux plissés remplis de terreur derrière ses lunettes, une main flétrie à sa lèvre frémissante, traînant sa frêle constitution jusqu'à la porte d'entrée qu'elle ouvre. Dehors, le vent chaud de l'ouest lui amène l'odeur des cèdres de la plaine et soulève un filet de sable sur la route non asphaltée qui passe à quelques pas de sa montée. Le petit drapeau rouge de la boîte à lettres est en bas. Le courrier n'a pas encore été livré. C'est Lyne Francœur qui le distribue de ce temps-là. Veuve Chagnon décide de l'attendre, car elle a besoin de se confier à quelqu'un. À quatre-vingts ans, le cœur ne peut garder un trop-plein d'émotions. Il faut qu'elle exprime la peur qui la gagne tranquillement.

Elle prend place dans sa berçante qu'elle laisse toujours sur le perron, et porte son regard sur la montagne qui se dresse droit devant elle, au nord, tout au bout du champ de maïs de Pierre-Aimé Latour, le fils de feu Télesphore Latour, un ami qu'elle regrette encore. Cette montagne l'horrifie. Chaque fois qu'elle s'arrête à l'observer, il lui semble qu'elle voit Dominique Lapierre en train d'y perpétrer un crime sanglant. Elle sait qu'il y habite, à son pied, dans sa cabane, reclus depuis près d'un demi-siècle. Elle l'y voit : sauvage, méchant, pervers, fou à lier. Drapée de certitude dans sa berçante qui craque sur le perron, veuve Chagnon sait maintenant, à l'annonce de cette nouvelle qu'elle vient d'entendre à la radio, que c'est lui, Dominique Lapierre, qui a frappé une fois de plus. Elle sait et a toujours su que c'est lui qui a frappé à l'époque sur la personne de Catherine Lachance. Elle en a la certitude. Ce Dominique lui glace les os depuis sa tendre enfance alors qu'ils fréquentaient ensemble l'école du village. Elle n'a jamais pu oublier son côté bagarreur, revendicateur, dominateur. Elle le percevait comme un bourreau, un être fondamentalement pervers qui devait assurément crever les yeux des chatons et brûler vifs les petits chiots. Pourtant il n'en était rien.

Amanda Lacombe — de son nom de fille —, celle qu'on nomme aujourd'hui veuve Chagnon, éprouvait et éprouve toujours de la peur pour les gens dominateurs et affirmatifs. Inconsciemment, en bas âge, elle projetait sur Dominique Lapierre l'image la plus hideuse de son père qui, lui, ne cessait de les persécuter tous : son épouse soumise, ses fils et elle-même, Amanda. Il les tyrannisait. Dès l'âge de dix ans, alors qu'elle entretenait déjà des pensées malveillantes pour Dominique, Amanda devint orpheline de père. Celui-ci mourut de façon obscure un certain jour d'automne tandis qu'il bûchait du bois dans sa forêt. On le retrouva étendu sous un arbre. Bizarrement, son corps ne portait pas de traces révélant qu'il aurait été tué par cet arbre renversé sur lui. Il n'avait aucun os de brisé, si ce n'est qu'un coup lui avait été porté à la nuque. Peut-être avait-on voulu les délivrer de ce tortionnaire ? Quoi qu'il en soit, on conclut à un accident forestier et l'on ferma le dossier. D'une manière ou d'une autre, cet homme avait reçu le châtiment qu'il méritait...

Veuve Chagnon songe de plus en plus à s'en aller vivre à la Maison des Immortelles, une résidence pour personnes âgées située au village de Jérico. Même si sa santé le lui permet encore, vivre seule à la campagne la rend plus anxieuse à mesure que le temps file. Ses enfants l'encouragent à prendre la décision de vendre sa maison au pied de la Côte Croche pour s'en aller à la Maison des Immortelles. Peut-être qu'à l'annonce de la disparition des deux jeunes gens, elle finira par se laisser convaincre de l'urgence de prendre une décision.

Un petit coup de klaxon la fait sursauter sur sa chaise. Elle s'est assoupie l'espace de quelques instants. C'est Lyne Francœur qui vient d'arriver et qui descend de sa fourgonnette blanche pour venir lui porter son courrier en mains propres. C'est une grosse fille en culottes courtes qui grimpe l'escalier, un sourire au visage.

— Bonjour, madame Chagnon. Vous roupilliez ?

— Oui, Lyne, répond la vieille dame en retirant ses lunettes pour frotter ses yeux.

— J'apporte votre courrier, madame Chagnon.

La jeune femme lui parle fort et emprunte un ton enfantin comme si la dame était sénile. Celle-ci replace ses lunettes et dit :

— Tu n'as pas besoin de crier, ma fille, je ne suis pas sourde. Et je ne suis pas radoteuse non plus. Tu n'as pas besoin de me nommer à chaque phrase que tu m'adresses.

— Excusez-moi, s'empresse de dire Lyne en lui remettant son courrier.

— Merci. Va te chercher une chaise en dedans. Tu as bien le temps de t'asseoir.

— Impossible, madame Chagnon, je n'ai pas fini ma tournée.

Lyne s'accote à la rampe.

— Veux-tu me faire plaisir ? Cesse de m'appeler madame Chagnon. Appelle-moi veuve Chagnon comme tout le monde.

— Veuve Chagnon ? Ce n'est pas un peu morbide ?

— Non, ça me permet de me souvenir que j'ai été mariée à Frédéric Chagnon pendant près de cinquante ans. Je ne l'ai jamais oublié.

– Ça fait combien d'années qu'il est mort ?

– Huit ans, trois mois et deux jours.

– Vous comptez les jours ?

– Les heures presque. Il me tarde tellement d'aller le rejoindre là-haut. La solitude est terrible tu sais.

– Surtout ici.

Lyne fait courir son regard sur le panorama sauvage.

– Cet endroit me plaît, dit la vieille en inspirant une bonne bouffée d'air. Il n'y a que la montagne qui me fatigue.

– Je ne comprends pas, s'étonne Lyne en observant la forme arrondie du monticule tout au nord du grand champ de maïs.

– Ce n'est pas vraiment la montagne qui m'ennuie, c'est plutôt ce qu'elle abrite. Celui qui y vit. Ce monstre assassin sans scrupules qui continue de faire couler le sang sur la région.

– Dominique Lapierre ?

– Qui d'autre ?

La vieille commence à s'énerver. Lyne, pour l'apaiser, lui prend la main.

– Calmez-vous, madame... veuve Chagnon. Il ne viendra pas ici.

– Tu crois ? Il vient d'assassiner deux jeunes enfants de la région. Tu n'écoutes pas la radio ?

– Vous voulez parler de Pauline Sarrasin et de Cédric Dumont ?

– Assurément ! Il les aura frappés à grands coups de poignards avant de les enterrer à demi morts au pied de sa maudite montagne. Quel ogre !

Veuve Chagnon porte la main gauche à son cœur. Lyne est accroupie près de sa chaise et lui tient toujours la main droite.

– Ne vous mettez pas dans de tels états. D'ailleurs, rien ne prouve qu'on ait tué ces enfants. Ils ont peut-être fait une fugue, tout simplement. C'est courant de nos jours. On dit qu'ils étaient amoureux. Vous savez ce que l'amour peut faire. Ils sont peut-être partis pour quelque temps, question d'expérimenter les choses de la vie.

— Ne sois pas bête, ma fille, j'ai vu couler de l'eau sous les ponts. On les a tués, c'est tout.

La vieille dame retire sa main. Lyne se redresse et annonce qu'elle doit repartir. Elle se permet quand même de lui dire de ne pas trop se faire de mauvais sang avec cette affaire et de se changer les idées avec de saines lectures.

— La lecture ! s'esclaffe veuve Chagnon en se levant péniblement. Tu me fais bien rire, petite. La lecture c'est pour les fous. C'est dans les livres qu'on apprend à voler, à mentir et à tuer. Il ne fait que ça, lire. (La vieille dame pointe la montagne.) Il apprend toutes les perversités du monde dans ses livres. Tout le monde en parle de son obsession de la lecture. Tu n'es pas au courant, toi, tu es trop jeune pour savoir ça. Dominique Lapierre vit dans un autre monde depuis qu'il a tué sa Catherine, Catherine Lachance. Tu n'en as jamais entendu parler ?

La grosse fille descend le petit escalier lentement, distraitement, une marche à la fois. La veuve éplorée traîne sa carcasse sur le perron en glissant sa vieille main sur la rampe dont la peinture blanche s'écaille.

— Il l'a poignardée cruellement ici même, sur la route des Sauvages. Ça s'est passé en haut de la Côte Croche, à moins d'un mille de ma maison. Frédéric et moi étions mariés depuis trois ans. Tu comprends pourquoi je le redoute. Il est comme un loup. Il rôde la nuit et frappe... dans le dos, ajoute la veuve en imitant le geste de poignarder.

Lyne manque la dernière marche, trébuche et tombe sur le sol caillouteux.

— Tu t'es fait mal ? s'empresse de demander la vieille qui semble revenir sur terre.

— Ça va, répond Lyne en se remettant debout, essuyant le sable sur sa hanche droite. Je dois filer.

Veuve Chagnon serre son courrier sur sa poitrine ; accrochée à la rampe, elle regarde la fourgonnette blanche repartir sur la petite route poussiéreuse. « En plus, il parle aux esprits... » murmure la vieille avant de rentrer.

'EAU se teinte de rouge dans le gros baril près de la cabane, tandis que Dominique y plonge ses mains maculées de sang. Quatre belles truites éviscérées reposent sur une table rudimentaire à côté d'un couteau à la longue lame. La rivière Sacrée regorge de poissons de toutes sortes. On y capture même de l'anguille et du saumon. Mais il faut être averti et rusé. Dominique connaît tous les secrets de la pêche. La rivière l'a nourri pendant tant d'années.

C'est le repas du soir. Il a allumé un feu à l'extérieur et déposé une poêle graissée au-dessus. Il apporte les poissons et les jette dans la poêle. Un délicieux fumet monte aussitôt, suivi d'un crépitement savoureux. Ça ne tarde pas, un grand duc fait entendre son cri dans la forêt. Il est doté d'une bonne horloge biologique.

« Viens, Duchesse ! » lui crie le vieil homme en cherchant l'oiseau dans la tête des arbres. Quelques secondes passent et le rapace majestueux vient se poser à la cime d'une grande épinette. Il s'arrête toujours là avant de se décider à descendre plus bas. « Viens, ma belle. Viens sentir l'odeur des bonnes truites. » Comme si l'oiseau entend ce que le vieux Dominique raconte, il pousse un cri perçant, et dans un grand battement d'ailes, il vient se poser à quelques mètres du repas qui frétille. Dominique va lui caresser le dos. L'oiseau roule de l'œil. La vieille main de l'homme lisse les plumes de l'animal qui attend patiemment sa pitance. « Tu es une belle bête, ma Duchesse. Tu auras une bonne part du souper. J'en ai pêché une juste pour toi, comme d'habitude. C'est toi qui as la plus grosse aujourd'hui. Chanceuse ! C'est la dernière que j'ai attrapée. Elle était pour toi. Oh ! j'aurais pu te faire croire que t'avais la plus petite, mais je ne suis pas capable de te mentir, tu le sais bien. La confiance règne, n'est-ce pas, ma belle ? Une chance que je t'ai. »

Dominique repart surveiller sa friture. L'oiseau reste docile sur sa branche. « Une chance que je t'ai toi aussi », murmure le vieil homme en retournant distraitement le poisson dans la poêle. Il semble s'adresser à un être invisible. « C'est peut-être toi qui habites le cœur de cet oiseau après tout, murmure-t-il encore. Comment le saurais-je ? Tu as le pouvoir de t'incarner en ce que tu veux. Si c'est le cas, tu as bien choisi ton véhicule. Duchesse est la plus belle créature de la forêt, Catherine. » Un sourire se dessine sur les lèvres du vieux. En évoquant le nom de sa bien-aimée, son cœur se met à battre plus fort, comme au temps béni de ses vingt ans où il avait le bonheur de la serrer dans ses bras. Catherine Lachance... une princesse aux cheveux d'or. Sans crier gare, Catherine revient dans sa mémoire et embrase son âme à tout moment de la journée. Il y a cinquante-six ans que cela se passe ainsi. Jamais elle ne l'a quitté. Quand elle se manifeste, il sent sa présence en lui, son amour, sa force, sa fraîcheur d'antan, sa vivacité, aussi intensément que s'il la tenait contre lui. C'est un feu qui l'embrase autant que celui qui grille le poisson dans la poêle. Il est brûlant et fait bouillonner le sang dans ses veines.

Catherine n'est pas morte, elle vit en lui. Il l'entend chanter dans son oreille, rire, l'appeler, pleurer parfois. Il la voit danser dans sa robe blanche aussi vaporeuse que les nuages, courir dans les prés en fleurs tel un ange de pureté ou se fondre entre ses bras comme une poupée de sel. À cette dernière image, il recouvre ses esprits. Catherine s'évanouit dans le cosmos. Elle se dissout dans le sol pour refaire le plein d'énergie et revenir à un autre moment. Dominique le sait, elle revient toujours. Parfois, elle est torturée par la peur. Elle court dans la nuit, crie, appelle au secours, supplie Dominique de la sauver, s'accroche aux branches sur le sol, tombe, déchire sa robe blanche, essaie de se relever, mais dans un cri déchirant, elle s'affaisse lourdement et le sang vient souiller la blancheur de sa robe de soie. La terre tremble, se fissure, et le corps de Catherine s'enfonce dans le sol. C'est la nuit, elle est engloutie. Le sol se referme sur elle et puis plus rien. Elle disparaît à jamais. Dominique crie son nom. Il pleure toujours lorsqu'elle l'amène dans ses sentiers sombres et lugubres. Il pleure parce qu'il ne peut rien pour elle, parce que l'ombre de la nuit, l'assassin des grands bois, le messager de la mort a posé son dévolu sur sa beauté qu'on profane avec barbarie.

« Tu as l'air heureuse aujourd'hui », murmure-t-il encore en remuant le poisson. Un sourire se cristallise sur ses lèvres. Le soleil chaud vient l'éblouir et, conjugué à la chaleur du feu. Dominique suffoque soudainement. Il saisit la plongée brûlante de la poêle pour se retirer à l'écart du feu, fait deux pas, fléchit les genoux et laisse glisser doucement la poêle qui tombe sur le sol et se renverse. Ses genoux touchent la terre battue. Il sent sa respiration difficile. C'est un coup de chaleur. « Catherine... », soupire-t-il avant de s'évanouirsous les cris perçants du grand oiseau, qui ne tient plus en place sur son perchoir. L'âme de Dominique quitte son corps. Il se sent aspiré vers le haut, attiré par une force invisible, une sorte de main géante qui le transporte dans le monde de l'au-delà. « Je suis mort ? demande-t-il. À qui est cette main ? » Il n'arrive pas à voir. Pourtant, il y a bien quelqu'un qui le guide. Ce quelqu'un lui fait même survoler sa montagne et il aperçoit son propre corps inerte sur le sol, sa Duchesse près de lui en train de manger la truite à même le sol. Il contemple, pour la première fois, la rivière Sacrée dans toute sa majesté, tortueuse, miroitante, déferlante, et le chêne centenaire qui paraît minuscule vu sous cet angle. La forêt et la campagne sont lumineuses. Tout est grandiose : les champs de grain, les foins, les prés où paissent les bêtes, le maïs...

Son guide l'amène à la vitesse de l'éclair dans un autre endroit. Tout défile en bas si rapidement qu'il n'y voit dérouler qu'un ruban vert. Il ferme les yeux pour ne pas être pris de vertige, lorsque bang !, il s'arrête brusquement, tombant lourdement sur un lit de feuilles mortes. Il est dans la forêt, c'est l'automne, l'air est frais et il fait noir. Il ne connaît pas les lieux et tout lui semble sinistre, comme si une menace planait sur lui. Il se remet debout sur ses vieilles jambes et frictionne ses bras pour se réchauffer. Que fait-il là ? C'est pas ça le paradis ! Il est mort, oui ou non ? Il tournoie, les grands arbres le cernent de toute part, il s'étourdit, s'affole lorsqu'enfin, un bruit venu des profondeurs de la forêt capte son attention. Il s'immobilise et porte son regard au-devant de lui. Qui va donc surgir ? Une bête féroce ? La peur s'empare de lui. On l'a jeté en enfer pour lui faire expier un crime...

« Dominique », dit une voix faible au loin, douce et mélodieuse, la voix d'une femme, une voix rassurante qu'il connaît bien.

Il scrute et cherche dans le noir. Tout excité, il crie :

– Catherine ! C'est toi Catherine ?

– Dominique... de répéter la voix surnaturelle avec la même intensité.

– Où es-tu, Catherine ?

– Dominique...

L'interpellé, n'y tenant plus, décide de s'enfoncer dans l'obscure forêt. Les branches lui cinglent le visage, il trébuche contre les arbres renversés, se relève, avance encore. « Catherine ! Catherine ! Attends-moi ! C'est Dominique ! » Il court et se fraie un chemin tant bien que mal, mais il n'arrive pas à la rattraper. Elle semble insaisissable. Il est à bout de souffle lorsqu'il s'effondre sur le sol humide et froid. « Catherine, gémit-il agenouillé par terre, pourquoi ne viens-tu pas vers moi ? Que signifie cette épreuve ? sanglote-t-il. Quand on est mort, on devrait aller vers la lumière et non vers les ténèbres... Catherine ! », implore-t-il une dernière fois avant de s'allonger sur la mousse gelée. « Je suis toujours avec toi, Dominique », entend-il alors distinctement dans son oreille. Il sent la chaleur et le poids du corps de sa bien-aimée se fusionner à lui. Il n'ose plus bouger pour s'imprégner d'elle entièrement. Une luminosité irradie de son corps, une sorte d'aura qui l'enveloppe et lui donne de l'énergie. Sans proférer un seul mot, il lui demande en pensée si l'heure est venue pour lui d'aller la rejoindre dans son paradis. Elle lui répond qu'il est trop tôt, qu'il a une mission à accomplir sur terre. Elle dit aussi qu'elle erre entre deux mondes, dans les limbes, que son âme n'a pas encore trouvé le repos. « Pourquoi ? » demande Dominique. Elle répond qu'une force mauvaise la retient où elle est, une entité qui n'a pas trouvé la paix.

Dominique croit un instant que c'est lui qui la retient, à force de penser constamment à elle et de lui parler tout le temps. Elle le rassure en lui disant qu'il n'en est rien, qu'il s'agit d'autre chose et qu'un avenir assez rapproché lui révélera tout ce qu'il doit savoir et faire pour corriger la situation. Elle lui dit aussi que sa présence à lui dans cette dimension a été spécialement orchestrée par Dieu pour lui insuffler l'énergie vitale dont il aura besoin pour mener à bien sa mission. Et pendant qu'elle lui dit cela, il sent la force de l'aura s'intensifier et l'embraser avec plus d'ardeur, chatouillant chaque atome de son corps, qui retrouve tranquillement sa vitalité.

« Va maintenant... » sont les derniers mots qui résonnent à son oreille alors qu'il s'éveille sur le sable brûlant près de sa cabane. Duchesse se lisse les plumes tout en haut de l'épinette. Elle a tout mangé. Dominique se relève prudemment. Il est vivant. Il lui semble que l'aura l'enveloppe encore. Les dernières paroles de Catherine résonnent encore faiblement dans sa tête. Il n'a pas rêvé. Il a eu une deuxième chance. Quelle est cette mission ? Remis sur ses jambes, il respire à fond. Il ne s'est pas senti aussi bien depuis des lustres. Aussitôt, il replonge dans le passé, un passé qu'il croyait révolu, mais qui lui revient avec force en mémoire et lui projette des images hideuses. Il en a le vertige, sa tension monte, la forêt tournoie autour de lui, il chancelle. Pour ne pas s'effondrer une deuxième fois, il entre dans la cabane pour s'abriter du soleil. À l'intérieur, la fraîcheur des lieux l'apaise. Il boit de l'eau à la pompe et s'assoit dans sa berçante près du vieux poêle à bois. Les images du passé deviennent fugaces, elles s'éloignent doucement, et le vieux Dominique recouvre enfin la paix du corps et de l'esprit. Cette crise inattendue l'informe sur ce que sera sa future mission. Il comprend tout maintenant. Pauvre Catherine... être dans les limbes... quel triste sort ! Tout ça à cause de ce... monstre sanguinaire.

❖　❖　❖

Pauline Sarrasin et Cédric Dumont demeurent introuvables. Deux semaines se sont écoulées depuis leur disparition. Les autorités policières n'ont aucune piste à suivre, bien qu'on se doute que les jeunes ont été tués par un mystérieux assassin. Qui est-il ? Tout le monde de la place cherche une réponse à cette question. Veuve Chagnon est formelle : « C'est Dominique Lapierre ! » Elle le clame depuis deux semaines à Lyne Francœur. Cette dernière commence vraiment à penser que la vieille est sénile, si bien qu'elle vient lui livrer son courrier presque à contrecœur. Elle en a assez d'entendre cette veuve esseulée répéter toujours les mêmes litanies. De plus, elle lui fait peur. Lyne croit déceler de la méchanceté pure dans son attitude. Elle semble entretenir une haine injustifiée et gratuite à l'endroit de ce vieil homme, Dominique Lapierre, cet ermite qui se fait le plus discret possible.

Un vendredi matin, vers la fin de juillet, la fourgonnette blanche s'arrête à nouveau devant la boîte aux lettres, faite de tôle ondulée, de veuve Chagnon. Depuis une semaine, Lyne ne sort plus pour remettre son courrier directement aux mains de la vieille et cela, même si elle se berce sur le perron. Plutôt, elle descend la vitre de la voiture à l'avance, se colle près de la boîte, s'empresse de l'ouvrir pour y jeter le courrier nerveusement et repart aussitôt. C'est ce qu'elle décide de faire encore en ce matin radieux. Elle ouvre la boîte, y met le courrier, la referme et relève le drapeau rouge. Mission accomplie. La vieille n'est pas en vue. Lyne, ayant actionné le climatiseur à l'intérieur, s'empresse de remonter la vitre et embraye d'avant. Mais elle freine en catastrophe, échappant un « crisse ! » retentissant lorsqu'elle voit surgir à sa droite, comme un fantôme, veuve Chagnon qui a failli être heurtée par le devant de la voiture. La vieille bonne femme ne semble pas réaliser l'ampleur de la situation, puisqu'elle se contente de frapper le capot blanc de sa vieille main ridée et de dire tout bonnement en s'adressant à Lyne : « Attends, petite ! » Son visage exprime une grande contrariété. Le dos voûté, le pas lent, sa main glissant sur la surface du véhicule éblouissante au soleil, la dame aux allures suspectes contourne l'avant de la fourgonnette et va rejoindre son occupante, qui est restée assise, crispée au volant. Celle-ci ose à peine respirer. L'apparition surprise de la vieille l'a trop choquée. « Baisse la vitre ! » lui dit veuve Chagnon, qui vient d'arriver à sa hauteur en cognant dans la vitre.

Lyne s'exécute. Mécontente, cette dernière porte une attaque :

– D'où sortez-vous comme ça, pour l'amour du ciel ? J'aurais pu vous écraser !

– Je mangeais des framboises dans le fossé. Tu ne m'as pas vue en arrivant ?

– Non, je ne vous ai pas vue !

Lyne ne cache pas son irritation.

– Quand est-ce qu'ils vont l'arrêter le maniaque ? profère la vieille dame très déterminée, s'agrippant au cadre de la fenêtre.

– Quel maniaque ? demande Lyne excédée, connaissant trop bien la réponse.

– Dominique Lapierre ! l'assassin des deux jeunes ! répond la vieille femme au bord de l'hystérie, le visage écarlate. Ça fait deux semaines que ça s'est produit et les policiers ne font rien ! Qu'est-ce qu'ils attendent ? Qu'il en tue d'autres ?

– Je vous l'ai déjà dit, rien ne prouve qu'ils ont été tués, rétorque Lyne, qui pourtant s'était juré de ne pas embarquer dans cette histoire une fois de plus.

– Comment ça, rien ne le prouve ? Ils ont dit à la télévision qu'ils avaient retrouvé le tout terrain du père du garçon ! C'est clair comme de l'eau de roche qu'une troisième personne était là, les a tués et très certainement enterrés dans la forêt. Qu'ils creusent !

– Ils n'ont rien trouvé, madame Chagnon ! Comprenez-vous ce que je vous dis ? Rien !

La jeune fille insiste. Ça fait plus de vingt fois qu'elle le lui répète. Et veuve Chagnon, elle, lui répète depuis cent fois que c'est Dominique qui les a tués. Lyne lui a souvent demandé pour quel motif il aurait fait cela, et la vieille répond invariablement qu'il est vicieux, pervers et dénué de toute moralité. « Je le connais bien, ajoute veuve Chagnon en fermant les yeux l'espace de quelques secondes, comme pour replonger dans un passé qui la hante. Il a tué sa propre fiancée, celle qu'il disait aimer de tout son cœur. Il l'a poignardée sur cette route. Frédéric et moi étions établis ici même lorsque ça s'est produit. Mon époux en fut très perturbé. Nous connaissions bien Catherine Lachance. » La vieille dame montre des airs de grande affliction. Lyne a tout à coup l'étrange intuition que la veuve lui cache quelque chose de capital.

— Pourquoi accuser Dominique Lapierre du meurtre de sa fiancée, puisque les autorités du temps n'ont jamais réussi à prouver que c'était lui le meurtrier ?

— Parce que... tu n'étais pas là, petite... tu es trop jeune pour savoir...

— Mon grand-père m'a tout raconté et il dit que les soupçons pesaient sur un certain Mario Langlois, un ancien soupirant de la belle.

— Tu es bien renseignée à ce que je vois.

— Je me suis informée, en effet. Depuis la disparition de Pauline et de Cédric, vous ne cessez de me répéter que c'est le vieux Dominique qui les a tués, tout comme il a tué sa fiancée autrefois. J'ai voulu connaître la vérité.

— Tu me prends pour une menteuse ? Une vieille radoteuse qui ne sait plus ce qu'elle dit ?

Veuve Chagnon commence à s'agiter. Elle tape sur le bord de la portière.

— Calmez-vous, veuve Chagnon. Je veux simplement connaître la vérité, tout comme vous, et il ne vous sert à rien d'entretenir de vieilles rancœurs contre monsieur Lapierre et de l'accuser à tort et à travers pour un ou des crimes qu'il n'a probablement pas commis.

— Probablement pas ! Probablement pas ! Elle est bien bonne celle-là !

La vieille éclate d'un rire sardonique et ajoute, en la transperçant de ses petits yeux malicieux : « L'avenir me donnera bien raison ! » Et sur ce, elle lui tourne le dos, rabat le petit drapeau de la boîte aux lettres, l'ouvre en faisant grincer le panneau et s'empare de son courrier. Lyne remonte la vitre et repart sans demander son reste. La vieille lui lance un œil mesquin par-dessus l'épaule tandis qu'elle entrevoit celui de la fille dans le rétroviseur. « Il paiera pour ses crimes », marmonne la vieille en remontant l'allée.

❖   ❖   ❖

Une glacière portative repose sur une couverture blanche étalée à l'ombre du chêne centenaire. Des cris joyeux proviennent de la rivière. C'est un avant-midi chaud et calme. Pas une brise, pas un nuage, seuls l'odeur des peupliers, le chant des oiseaux et le murmure de la rivière imprègnent cette jolie matinée de charmes bucoliques. Michaël ne porte qu'un caleçon de bain noir et Sophie, un bikini vert lime, ses longs cheveux noirs attachés dans son dos lui donnant des airs de sirène. Elle barbote dans l'eau d'un bassin profond de la rivière, tandis que Michaël la regarde, assis sur un rocher. Finalement, elle ne s'est pas encore décidée à rompre avec lui. Deux semaines sont passées depuis qu'il y eut cette scène sous le grand chêne à la réunion des Nouveaux Artistes et que Sophie le trouva changé lorsqu'elle alla se rasseoir avec les autres. Il a gardé cette attitude passive, jusqu'à maintenant, et semble faire de réels efforts pour se montrer aimable. Cela va-t-il durer ? Qu'est-ce qui le force à un tel retournement ? Elle voudrait bien le savoir. « Ne mouille pas tes beaux cheveux, chérie ! » lui dit-il, attentionné, bien campé sur son rocher. Depuis ces deux dernières semaines, lui-même se sent différent. Quelque chose le retient... une liane ? Cette vision lui revient sporadiquement en tête. Chaque fois qu'il s'amuse et se détend, il sent à nouveau la petite liane glisser sur sa cheville droite et le retenir. Il frissonne à tout coup et se crispe. Il croit devenir schizophrène. Et s'il en parlait à quelqu'un ? Non, on le prendrait pour un fou. Une chose est certaine, l'amour de Sophie l'aide à se concentrer sur le présent.

La jeune fille décide de plonger. Elle disparaît sous le regard étonné de son ami. Celui-ci se lève précipitamment et l'appelle. Les secondes passent, elle ne remonte pas. Déjà presque une minute qu'elle a plongé. « Sophie ! » s'écrie-t-il à nouveau. Il plonge à son tour. Sophie réapparaît dans le courant, plus à l'ouest. Elle se met à genoux dans l'eau, essuie son visage et lisse ses cheveux en riant. Le courant déferle à sa taille. Elle cherche son copain. « Michaël ! Michaël ! » Mais ce dernier ne répond pas. Il lui joue probablement un tour. « Michaël ! ce n'est pas drôle ! Sors de ta cachette immédiatement ou je m'en vais ! » Le jeune homme est en train de se débattre furieusement avec une autre liane qui l'a attrapé sous l'eau, celle-là étant dix fois plus robuste que la première. Elle le tient par la cheville droite, comme l'autre, et il tente désespérément de la sectionner avec une roche coupante. Il n'a pas rêvé, la liane a jailli du fond de la rivière tel un serpent, a étiré son long et fin tentacule jusqu'à lui et l'a entraîné dans une profondeur de trois mètres d'eau. Maintenant, il est à la limite de son endurance. Il y a plus d'une minute qu'il se débat, lorsqu'il voit enfin plonger Sophie au-dessus de lui. Il laisse tomber la roche, réalisant qu'il n'arrivera pas à rompre la liane, et suffoque. Il avale de l'eau, une main le prend sous l'aisselle et le tire vers le haut. Sa cheville se libère sans difficultés. Sophie le hisse sur la terre ferme et lui pratique la respiration artificielle. Il régurgite un peu d'eau. Elle le sauve *in extremis*. Michaël tousse et relève la tête. Il aperçoit le visage angélique de Sophie. Aussitôt, la peur s'empare de lui lorsqu'il repense à la liane et au projet qu'elle avait de le noyer. Même s'il doit passer pour un fou, il raconte tout : « Chérie, dit-il sous le choc, une liane m'a retenu prisonnier au fond de l'eau. Elle s'est enroulée à ma cheville. J'ai voulu la couper, mais je n'y arrivais pas. Je me suis débattu autant que j'ai pu, mais... je n'y arrivais pas ! » Et il s'effondre en sanglots dans ses bras. Sophie lui met la tête sur son épaule pour le réconforter.

– Une liane, dis-tu ? demande-t-elle perplexe.

– Oui, une liane, gémit-il.

– Comment est-ce possible ? Tu t'es empêtré dedans ?

– Non ! s'écrie-t-il en se redressant. Elle est venue m'attraper à la surface de l'eau et m'a descendu jusqu'au fond de la rivière.

– C'est inconcevable ! Comment peux-tu...

– Je te le jure, Sophie ! Elle est venue me chercher ! clame-t-il avec grande conviction.

Sophie ne décèle pas l'habituelle fourberie dans ses yeux. Lui, un acteur-né. Il paraît sincère et réellement apeuré. D'ailleurs, il frissonne devant elle comme un petit garçon ayant échappé de justesse à la mort. Que signifie cette mise en scène ? Est-ce un autre stratagème pour solliciter encore plus d'attention de sa part ? Depuis quelque temps, Sophie lui fait sentir qu'il doit filer doux pour la mériter.

– Ce que tu me racontes est invraisemblable, Michaël. Je ne vois pas à quoi il te sert d'inventer une telle histoire. Ce n'est pas ça qui va te donner du crédit à mes yeux.

– Tu songes à me quitter ? C'est bien ça hein ? Avoue !

Il lui tient fermement les épaules.

– Laisse-moi, dit-elle en se défaisant de son emprise.

Elle se relève et part s'allonger sur la couverture à l'ombre du chêne. Il arrive par derrière.

– Je ne suis pas fou, si c'est ce que tu crois. Et je n'ai pas inventé ça pour attirer ta pitié.

Calmé, lui aussi s'est assis.

– D'ailleurs, ajoute-t-il en portant son regard sur la rivière, ce n'est pas la première fois que cela se produit. C'est la deuxième.

– De quoi tu parles ?

– C'est la deuxième fois qu'une liane m'attrape par la cheville. Regarde la marque.

Et Michaël lui montre la rougeur à sa cheville. Nul doute, quelque chose y était enroulé et l'a forcé à se débattre.

– Tu t'es empêtré le pied dans des racines souterraines, explique Sophie, tout bonnement. Ce chêne est si immense, qu'il a sûrement de longues racines qui s'allongent dans le fond de la rivière.

— Et comment expliques-tu la première fois ?

— Quelle première fois ?

Alors il se met à lui raconter comment il s'est fait attraper la première fois par la liane terrestre.

— Ça s'est passé sous les yeux du groupe des Nouveaux Artistes. Tu te souviens, c'est le matin où on a constaté l'absence de Pauline et de Cédric. On venait de se tirailler pour *Othello*. Tu t'étais approchée de la rivière, Carmen essayait de te consoler.

— Je me souviens de tout ça, il y a deux semaines que c'est arrivé.

— Alors ?

— Alors quoi ?

— Alors... c'est ce jour-là que j'ai subi mon premier assaut.

Elle ne dit plus rien, hoche la tête, refusant de croire à une histoire aussi fantasmagorique. Il lit trop de romans d'épouvante, vit dans une chimère ou un rêve. Son désir de devenir l'un des plus grands acteurs du prochain siècle le rend complètement fou et l'amène à vivre dans le monde de l'irréel. « Je ne savais plus quoi penser lorsque c'est arrivé la première fois. J'ai eu peur et je me suis retranché dans le silence », dit Michaël en faisant fi des jugements qu'elle pourrait porter. Cependant, Sophie a comme une révélation inattendue : serait-ce donc cela la cause de son retournement ? De l'être mesquin qu'il était, il s'était transformé en agneau l'instant d'après, de façon inexplicable, ce qui l'avait étonnée.

— Ne parlons plus de ça, tu veux bien, dit-elle pour clore la discussion, un doute s'étant insinué en elle. Mangeons plutôt.

Elle ouvre la glacière.

— Attends... il y a quelque chose que je veux faire depuis longtemps.

Il rampe jusqu'à ses culottes courtes, sort un canif de sa poche et l'ouvre. Il se lève et lui dit de le suivre. Elle lui obéit, ils s'approchent du tronc de l'arbre, et Michaël commence à entailler l'écorce avec la pointe du couteau. Il désire graver leurs initiales dans des cœurs enchaînés. Sophie ne se sent pas prête. Selon elle, ce rituel n'est pas à prendre à la légère, puisqu'il symbolise l'amour mutuel qu'éprouvent les amants. Elle ne dit rien et le laisse tracer son cœur à lui et inscrire ses initiales. Par la suite, il lui remet le couteau et l'invite à s'exécuter. Elle consent à tracer le cœur et s'arrête. « Mets tes initiales », l'incite-t-il. Soudain, le sol se met à trembler légèrement et les feuilles du grand chêne frétillent de façon singulière. « Un tremblement de terre », annonce Sophie, qui n'ose plus faire un seul geste. Michaël non plus. La secousse est faible, mais ils la sentent nettement sous leurs pieds. Une feuille se détache et tombe sur la couverture blanche. Sophie remet le canif à son ami et lui dit qu'elle n'est pas prête à s'exécuter. D'ailleurs, le sera-t-elle jamais ? La déception est visible dans les yeux verts du jeune homme. Il concède et rétracte la lame du couteau. La terre cesse de frémir. Ils vont se rasseoir. Au passage, Sophie écrase la feuille de chêne qui est tombée sur la couverture et, sous son poids, la feuille écrabouillée laisse échapper une substance rougeâtre qui tache le drap blanc. Michaël vient d'extraire deux canettes de bière de la glacière qui recèle un joyeux festin. Toute leur attention est portée sur les délices à venir. Ils ont à nouveau le cœur léger.

❖   ❖   ❖

RANÇOIS Francœur a bonne mémoire et il se souvient nettement de la mort de Catherine Lachance. Lyne, sa petite-fille, l'écoute raconter en détail les circonstances entourant le drame. Ils sont assis à l'ombre de la véranda, à la maison du vieux, sur la route des Sauvages, quelques arpents à l'est de la maison de veuve Chagnon. C'est l'après-midi, la jeune fille a terminé la livraison de son courrier, et l'altercation avec la veuve lui a laissé des questionnements. Elle pense que son grand-père peut répondre à ses questions. Il les a tous connus : Catherine Lachance, Dominique Lapierre, Frédéric Chagnon et sa veuve. Ce n'est pas la première fois que son grand-père lui parle de la tragédie entourant la mort de Catherine Lachance, mais aujourd'hui, il lui semble qu'elle va en apprendre davantage, surtout sur la veuve aux allures étranges. « Catherine était de loin la plus jolie fille du comté », dit le vieil homme au crâne dégarni, le visage bien rond et l'œil moqueur. Sa voix est claire, peut-être un peu nasillarde, conséquence d'un coup de pied qu'il a reçu sur le nez en bas âge. À part cela, il s'exprime comme un jeune homme malgré ses quatre-vingts ans bien sonnés. « Tous les hommes rêvaient d'épouser Catherine, même moi, poursuit-il en ricanant. Mais je n'avais pas assez de charme pour ça. Catherine voyait grand et beau. Dominique était parfait pour elle. Il avait de l'ambition et, à ce qu'on disait, était doué d'un charme irrésistible. Et ce n'était pas un courailleux ni un profiteur. Il devait être sûrement conscient de ses atouts, mais il n'en faisait pas le centre de sa vie. Je crois qu'il aspirait tout simplement à se marier et à fonder un foyer, comme la plupart d'entre nous. Il travaillait à la minerie comme fondeur. Il surveillait les opérations de fusion et de coulée. On lui reconnaissait déjà des aptitudes de dirigeant et il était assurément destiné à devenir le surintendant de la mine de fer, la Royal Foundry, l'année suivante. Frédéric Chagnon, l'époux d'Amanda Lacombe, aujourd'hui sa veuve, travaillait aussi à la mine. Il convoitait également le poste de dirigeant. En fait, Dominique et lui étaient rivaux à bien des égards. Je vais te confier un secret, Lyne : Frédéric Chagnon était amoureux de Catherine même s'il était déjà marié à Amanda et que Dominique parlait de l'épouser », murmure le vieux, penché à l'oreille de sa petite-fille. Lyne écarquille les yeux. Elle était à cent lieues de se douter d'une telle chose.

– Amanda était-elle au courant ? demande la jeune fille.

– Je crois qu'elle s'en doutait.

– Comment tu le sais, grand-papa ? C'est Frédéric qui te l'a dit ?

– Jamais de la vie ! Il était beaucoup trop hypocrite. Il trichait sa femme allègrement et affichait toujours un visage d'homme fidèle et respectueux de ses vœux. Je l'ai su parce que j'ai appris qu'il avait essayé de forcer Catherine à l'embrasser un jour qu'elle était passée à la fonderie rendre une visite éclair à Dominique.

– Tu crois qu'elle a raconté ça à Dominique ?

– Bien sûr... c'est lui-même qui m'a dit que Frédéric avait des vues sur sa fiancée.

– J'aurai tout entendu, dit Lyne, hochant la tête, pensant à veuve Chagnon et à son attitude troublante.

Elle voit de plus en plus clair. Forcément, la vieille dame cherche à faire incriminer Dominique pour le meurtre de Catherine Lachance, parce qu'autrement, elle serait portée à penser que c'est son propre époux qui l'a perpétré.

– Est-ce que c'est lui qui a assassiné Catherine ? demande la grosse fille, tout emballée par cette histoire.

– Je ne crois pas, répond le vieux en plissant le front.

Lyne paraît déçue.

– Il y en avait bien d'autres qui tournaient autour de la belle, reprend son grand-père. Plusieurs autres comme Télesphore Latour, qui habitait plus à l'ouest sur ce rang, voisin d'Amanda. Lui, il était célibataire à l'époque, comme moi d'ailleurs. Nous avions bien le droit de poser un regard sur Catherine avant qu'elle soit promise à Dominique. À part Télesphore, il y avait Xavier Saint-Pierre... tu ne l'as pas connu. Il habitait au village. C'était un professeur d'école. Mais il y avait surtout Mario Langlois.

— Le disparu ?

— Le plus épris de Catherine, dit le vieux François en portant son regard sur l'horizon.

Son visage s'assombrit. C'est comme s'il venait d'ouvrir un tiroir grinçant dans sa mémoire, rempli de fantômes. Deux ou trois moineaux fébriles viennent voltiger et passer près d'eux, arrachant du même coup le vieil homme à sa sombre rêverie. Il se tourne vers elle et répète d'une voix sentencieuse : « Mario Langlois ».

— Tu crois que c'est lui ?

— Lui quoi ?

— Lui qui l'a tuée ? Tué Catherine ? Grand-papa... reviens sur terre !

Son grand-père s'ébroue comme un chien et répond en riant :

— J'ai des frissons à chaque fois que je pense à ce garçon.

— Pourquoi dis-tu « garçon » ? D'après l'histoire, il a disparu et on ne l'a jamais revu. Il vit peut-être encore, et si ça se trouve, il doit avoir ton âge.

— Ça m'étonnerait qu'il vive encore, ma fille. Non, j'ai une autre idée sur la question.

— Raconte-moi, s'empresse-t-elle de dire en lui jetant un œil suppliant.

— D'accord. Ce que je vais te raconter sont mes propres observations. C'est vérifiable.

Il respire un bon coup et commence : « Autrefois, lorsque le drame s'est produit, les autorités ont essayé de retracer Mario Langlois, mais elles n'y sont pas parvenues. C'est pour cette raison que tous les soupçons ont pesé sur lui. Tout le monde disait qu'il avait tué Catherine parce qu'il ne pouvait pas l'avoir, puisqu'elle allait épouser Dominique Lapierre, et qu'après, il était allé se cacher

Dieu sait où pour échapper à la justice. Les gens ne se volatilisent pas comme ça, Lyne. En plus, à l'époque, les moyens de transport n'étaient pas rapides comme ceux d'aujourd'hui. Je doute qu'il aurait pu s'éclipser aussi facilement que ça, surtout qu'un avis de recherche fut lancé contre lui et que sa photo placardait les murs des gares et des quais d'embarquement de toute la région.

— Il s'est peut-être caché dans la forêt.

— Tu penses bien qu'avec le temps, quelqu'un l'aurait croisé au détour. Il aurait fallu qu'il mange et s'approvisionne d'une manière ou d'une autre.

Lyne réfléchit et le vieux se berce vivement.

— Voici mes observations personnelles, ajoute-t-il. Ça va te sembler farfelu. Je crois qu'il n'a jamais quitté la région pour la simple et bonne raison qu'on l'a tué.

— Tué ?

— Oui, tué.

— Je n'y comprends plus rien, dit Lyne, relevant les mains et les épaules, toute confondue. Mais alors, si on l'a tué, qui a tué Catherine ? Et où est-il ce... Mario Langlois ?

— Ça fait encore plus de questions, n'est-ce pas ?

Le vieux rit dans sa barbe. Il la voit déconfite et cela le ravit de constater que la curiosité de sa petite-fille est servie à point. N'est-ce pas ce qu'elle voulait ? Elle a là de la matière à réfléchir et à blanchir quelques bonnes nuits, tout comme lui en blanchit depuis une éternité à cause de toutes ces interrogations.

— Je suis toute mêlée, grand-papa.

— Moi aussi, ma fille, moi aussi. Ça fait plus de cinquante ans que j'essaie de démêler l'écheveau de cette triste histoire.

— Penses-tu que les amoureux éconduits se sont entre-tués ? Frédéric Chagnon aurait pu tuer Mario ! C'est ça ? proclame Lyne, tout heureuse de sa trouvaille.

— Je l'ai pensé aussi, mais pourquoi aurait-il fait une telle chose ? Ça ne lui aurait pas rendu l'objet de sa convoitise : sa Catherine.

— La veuve Chagnon aussi se pose mille et une questions. C'est encore pire pour elle, parce qu'elle a l'intuition que son digne époux a eu un rôle primordial à jouer dans cette affaire abominable.

Elle réfléchit et ajoute :

— Peut-être qu'un des membres de la famille de Catherine a tué Mario ?

— Peut-être, conclut son grand-père.

Lyne se voit réduite à des réflexions bien plus profondes qu'elle l'avait imaginé.

❖ ❖ ❖

Sophie a besoin de faire le vide. Ce que Michaël lui a raconté la veille l'a énervée. Elle a eu du mal à trouver le sommeil. En ce samedi, elle est seule dans le sentier pédestre qui sillonne la forêt près du village. C'est une bonne idée qu'a eue la mairesse, voilà deux ans, de mener à bien ce projet de construire ce petit chemin forestier pour accommoder la population de l'endroit. C'est encore une autre matinée lumineuse, chaude et calme. Le gravier fin roule sous ses semelles caoutchouteuses, tandis que la jeune fille, par de grandes enjambées et des foulées éperdues, dévore littéralement l'avenue bordée de conifères. Le jogging du matin ne lui a jamais paru plus bénéfique pour le moral. Le vide se fait tranquillement mais sûrement dans sa tête. À chaque tournant qu'elle franchit, le paysage change un peu : fougères, sapins, bouleaux, érables et verges d'or défilent sur son passage et leurs parfums singuliers se succèdent et l'enivrent. Il y a plus d'une demi-heure qu'elle court de façon vigoureuse, habillée d'un short rouge et d'une camisole blanche, serviette sur la nuque, ses cheveux noirs noués en queue-de-cheval. Elle songe à s'arrêter au prochain virage pour reprendre son souffle. Elle descend une pente douce. « Ils ont laissé de grosses roches aux abords du sentier », songe-t-elle en portant sa vue loin au-devant d'elle, apercevant deux masses arrondies à la gauche du chemin. Mais à mesure qu'elle s'en approche, elle réalise que ce ne sont pas des roches. Même que... cela bouge. Des ours !

À peine le pense-t-elle qu'elle voit se dresser l'une de ces énormes bêtes sur ses pattes d'en arrière. Affolée, Sophie s'arrête aussitôt et fige carrément sur place. La deuxième bête semble plus pacifique. Elle ne réagit pas, tandis que l'autre grogne, lance des regards méchants à l'intruse qui est restée pétrifiée, tremblotante. « Vite ! Il faut réagir ! » songe-t-elle. Mais avant qu'elle ait pu décider quoi que ce soit, horrifiée, elle voit l'animal bondir en furie et foncer droit sur elle. Arraché aux entrailles de

Sophie, un cri strident déchire la forêt. Elle fait volte-face, repart à grande vitesse, les jambes en guenille. Commence alors une poursuite effrénée. L'animal gagne vite du terrain. Compte tenu de cette progression, la pauvre fille ne pourra pas s'en réchapper. Pourquoi attaque-t-il ? L'ours serait-il attiré par le rouge de son short ? Sophie a toujours entendu dire qu'un ours n'attaquait que pour protéger sa progéniture et là, il lui semble bien qu'il n'y avait pas d'ourson dans le tableau. Elle repense à Michaël et à son histoire de lianes qui tentaient de l'attraper. Ce qu'elle vit maintenant n'est pas une chimère, l'ours est bien réel et avant longtemps il aura tôt fait de la rattraper et de l'étrangler. Elle gravit la pente et sent ses jambes faiblir. Elle est épuisée, fébrile, à la limite de ses forces. Il n'y a que l'adrénaline qui la pousse. La bête se rapproche d'elle et elle en prend conscience en l'entendant grogner plus fort dans son dos et battre le sol de ses pattes. Ces bruits résonnent dans ses tympans comme les pas du bourreau qui amène un condamné à la potence. Elle ne peut plus s'échapper. L'ours est trop fort. « Au secours ! » hurle-t-elle au-dessus de la côte, exténuée, avançant en titubant, convaincue que l'animal va lui asséner un coup de patte dans la seconde qui suit. Mais il n'en est rien, c'est un coup de feu qu'on entend, un coup tiré depuis le dessus de la côte. C'est Gino qui a tiré, Gino son sauveur. L'ours est touché, se dresse sur ses pattes d'en arrière juste à mi-chemin dans la côte, leur grogne quelque chose de mauvais et repart précipitamment dans la direction opposée en boitillant. Sophie est agenouillée sur le sol et tente de rétablir sa respiration. Gino retire la douille vide de son fusil et se hâte d'en loger une pleine. Il constate que l'animal n'avait plus que quelques bonds à faire pour sauter sur sa proie.

« Ça va, Sophie ? » lui demande-t-il avec empressement, se penchant sur elle, posant une main réconfortante sur son épaule. Elle tremble et sanglote. Il l'aide à se relever. Elle se jette à son cou et l'enserre de toutes ses forces en sanglotant de plus belle. Il lui caresse les cheveux et aperçoit par-dessus son épaule les deux ours au tournant du sentier, qui vont se perdre dans la forêt.

– Ils sont partis, lui dit le jeune homme pour la rassurer.

– Partons d'ici, clame Sophie, qui réalise alors qu'elle ne souhaite qu'une seule chose : être loin de ce sentier et de ces maudits ours.

– Tu as raison. Retournons au village.

La présence de l'arme la tranquillise. Ils reprennent le pas. Gino lui explique qu'il déambulait dans la forêt avec son fusil, à l'écart du sentier, pour ajuster sa mire. Elle a eu de la chance qu'il se soit trouvé tout près lorsqu'elle a crié. « J'ai accouru immédiatement. Je me demandais bien qui criait comme ça. »

Remis de leurs émotions, ils boivent une boisson gazeuse sur le banc public près de l'église. Le parc jouit de l'ombrage des tilleuls et la rue Principale passe juste devant. Ils regardent déambuler les passants et défiler les voitures, aspirant le liquide brunâtre dans une paille, tous deux silencieux, réfléchissant à ce qui vient d'arriver. Le fait qu'ils se retrouvent ainsi, tous les deux, les rend nerveux. Ils ne le savent pas, mais ils ressentent la même chose au creux de l'estomac : des papillons s'agitent. Gino espérait cet instant depuis longtemps et encore plus maintenant qu'il sait que ce n'est pas très harmonieux entre Sophie et Michaël. Il l'a bien vu à la dernière réunion des Nouveaux Artistes. Quant à Sophie, elle réalise à peine qu'il lui a sauvé la vie.

– Quand est-ce qu'on se réunit à nouveau pour les Nouveaux Artistes ? demande Gino pour briser un silence gênant.

– La semaine prochaine, si tout le monde est d'accord.

– Je suppose que oui.

– Nous ne serons que dix désormais.

– Ça ne sera plus pareil sans eux.

– Non. On n'entendra plus Cédric nous parler de sa passion pour la danse ni le voir exécuter de prestigieuses figures.

– Ni Pauline nous apporter ses aquarelles éblouissantes de couleurs.

Non, ils le savent bien, mais...

– Et s'ils avaient fait une fugue ? soulève le jeune homme réservé aux yeux d'azur.

– Il ne faut pas penser à cela, Gino, s'empresse-t-elle de dire en plongeant son regard compatissant dans celui du garçon.

« Il est si mignon », se dit-elle. Lui, il la trouve épatante. Ses grands yeux bruns sont comme des puits de sagesse et de bonté. Il s'y noierait bien volontiers. Ils se regardent franchement l'espace d'un instant, ce qui leur semble une éternité. Le courant passe. Ils sont en communion directe avec le fluide amoureux. Sophie retrouve sa liberté d'avant. Michaël n'existe plus. C'est comme si soudainement, elle comprend qu'il n'a jamais existé. En fait, elle sait qu'elle ne s'était pas fourvoyée en pensant qu'il ne l'avait jamais aimée réellement, que son intérêt pour elle visait surtout à satisfaire ses besoins égocentriques. Jamais, dans l'œil vert et flamboyant comme l'émeraude de ce dernier, Sophie n'a vu autant de richesses et d'amour qu'elle en voit présentement dans celui de son vis-à-vis, dont les joues s'empourprent de façon charmante.

Chacun se remet à tirer sur sa paille. Un bruit de succion se fait entendre. Gino sourit. Son verre est vide, mais il a encore soif. Sophie l'invite à tirer un coup sur sa paille. Il rougit de la tête aux pieds, mais il accepte. Elle approche la paille de sa bouche, il entrouvre ses lèvres pulpeuses et se met à sucer doucement. Une moustache bien découpée orne sa lèvre supérieure. Sophie épie chaque mouvement de sa bouche. La tension du jeune homme baisse, son visage recouvre ses vraies couleurs. Il a de grands cils recourbés, ses cheveux châtains frisent sur sa nuque, son nez est à peine retroussé. Elle est sous le charme. Déjà, elle rêve de l'embrasser. « Merci », lui dit-il après en avoir avalé une bonne gorgée. À regret, elle se détourne de son image et pose ses lèvres lentement sur le bout de la paille dans l'espoir d'y déceler le goût de sa bouche. Il l'observe distraitement. Elle agit avec sensualité. Il sait qu'elle est en train de l'embrasser et de mêler leurs essences dans ce geste. Il n'intervient pas. Elle se délecte et s'abreuve à son aise tandis qu'il espère de tout cœur que cette rencontre impromptue sera l'amorce d'un fabuleux voyage à deux.

Marco Lacroix arrive derrière eux en catimini et pousse un cri pour les surprendre. Ils sursautent, se retournent vivement et l'aperçoivent, riant, le visage enjoué comme le gamin qu'il est resté malgré ses dix-sept ans. « Tu nous as fait peur ! » l'admoneste Sophie, qui, à son tour, a les joues cramoisies. Marco est le copain de Michaël. Il a la langue bien pendue et Sophie sait d'ores et déjà qu'il s'empressera de dire à Michaël qu'il a surpris sa petite amie avec Gino Blais en tête-à-tête.

– Que faites-vous ici tous les deux ? demande le nouveau venu sans ambages, l'air accusateur.

– Ça ne se voit pas, rétorque Sophie, on boit du Pepsi.

– Michaël n'est pas là ?

Sophie répond sèchement et de façon ironique :

– Tu le vois quelque part ?

L'inquisiteur insiste :

– Tu le trompes !

– Pardon ?

– Tu le trompes ! affirme-t-il, se plantant fermement devant eux, les scrutant du haut de ses six pieds, le regard dédaigneux.

Choquée, la jeune fille se lève et lui assène une gifle retentissante. Marco en est ébranlé. Il se frotte la joue, toise son opposante et bredouille, humilié :

– Michaël va le savoir.

– C'est ça, vipère, va lui lécher les bottes, rétorque Sophie.

Le fautif s'éloigne, s'arrête, se retourne et dit au garçon demeuré silencieux en le pointant du doigt :

– Gare à tes fesses ! Michaël te le fera sûrement payer cher.

– Débarrasse ! On t'a assez vu ! laisse échapper Gino, lui qui n'aime pas beaucoup la violence.

Sophie se rassoit. Tous deux voient l'entremetteur courir sur le gazon, traverser la rue et filer en direction ouest. Michaël se tient souvent au salon de billard. Marco doit espérer pouvoir l'y retrouver. Sophie soupire à grands coups. C'est une dure matinée pour elle. Gino comprend sa détresse, car Michaël est vraiment imprévisible. L'épisode avec l'ours était déjà assez traumatisant pour elle, il ne faudrait pas en rajouter beaucoup plus pour qu'elle craque.

– Que vas-tu faire, Sophie ? s'enquiert-il avec délicatesse.

– De Michaël ?

– Oui. Est-ce que tu l'aimes encore ?

Elle réfléchit deux secondes et lui répond : « Non ».

Gino réfléchit à son tour. En regardant passer une femme qui pousse un landau sur le trottoir, elle reprend : « J'aimerais te connaître mieux. On ne s'est pas parlé souvent et pourtant, on fréquente la même école depuis toujours. Il faut dire que Michaël m'a accaparée dès que j'ai commencé à avoir des seins. » Et elle se met à rire. Gino aussi. Elle dit vrai, Michaël n'a jamais vu que ses attraits physiques. Évidemment, Gino aussi les voit, mais il perçoit également autre chose en elle : sa gentillesse, sa bonté, son besoin de tendresse et son grand romantisme. Il perçoit les mêmes caractéristiques en lui. Il lui révèle alors une infime partie des sentiments qu'il a toujours entretenus pour elle :

– Moi aussi j'aimerais ça te connaître mieux. En fait, j'ai toujours désiré cet instant. C'est quand même fou que mon vœu se réalise à cause d'un ours qui t'a donné la peur de ta vie.

– C'est fou, tu as raison, abonde-t-elle en frissonnant, repensant à la scène. Si tu n'étais pas arrivé, il m'étranglait, proclame-t-elle avec effroi. Tu es mon sauveur, Gino, mon héros...

Elle le regarde avec admiration. C'est ce garçon extraordinaire qui l'a arrachée à une mort certaine. Elle réalise enfin l'ampleur de la situation. Elle a réellement frôlé la mort et en tremble encore. C'est le choc postraumatique. Gino s'inquiète pour elle. Il lui prend la main sans réserve et lui offre de l'accompagner à l'hôpital :

– Mon père va me prêter la voiture.

– Ce n'est pas nécessaire.

– Au contraire. Je crois que l'avis d'un spécialiste te rassurerait.

– Je suis rassurée.

– Pas moi.

– Tu t'inquiètes à ce point pour moi ?

Cela la touche. Michaël ne se montrait jamais aussi prévenant.

– J'insiste, Sophie. C'est une affaire de rien. Ils vont te faire rencontrer un psychologue, tu vas raconter ton histoire et ce sera probablement tout. S'il y a un problème, ce qui m'étonnerait, ils vont te demander de revenir la semaine d'après, tout simplement.

– Le samedi... tu crois qu'il y a un psychologue à l'hôpital ?

– Peut-être pas. C'est vrai, je n'y avais pas pensé. Ça ne fait rien, un médecin généraliste peut quand même t'aider. Ils sont formés pour ça.

– On voit que ta mère travaille à l'hôpital, tu connais les rouages.

– Ce n'est qu'une simple infirmière.

– Elle t'a transmis une très belle qualité : l'empathie. Ce n'est pas donné à tout le monde.

Elle songe à Michaël, lui qui ne pense jamais qu'à sa petite personne.

– C'est vrai, dit Gino, ma mère me répète souvent que je pourrais devenir médecin si je le souhaitais. Mais ce n'est pas mon destin. Le chant me passionne beaucoup trop.

– Et tu chantes merveilleusement bien.

– Merci. Étrangement, même si je suis un gars timide et réservé, lorsque je chante, toutes mes inhibitions tombent, et je deviens une autre personne. À l'église, à Noël, quand je chante les cantiques, je me prends pour une vedette. J'en suis gêné parfois. Je me dis que si les gens savaient ce que je pense, ils me prendraient pour une tête enflée.

– C'est un don que tu as reçu. Cela fait ton orgueil. Quand tu chanteras pour gagner ta vie, tu verras les choses autrement. Tu remercieras la vie de t'avoir donné des cordes vocales en or et tu ne souhaiteras qu'une chose : que les gens ressentent autant de plaisir à t'écouter que tu en auras à chanter pour eux.

– Tu as traduit parfaitement les sentiments que je n'arrivais pas à formuler.

– C'est facile pour moi.

– Bien sûr, toi, la grande romancière.

– En herbe. Moi aussi j'espère bien qu'un jour je vais toucher le public avec mes écrits.

– Je n'en doute pas un seul instant. Déjà, tu nous fais vibrer avec les nouvelles que tu ponds par-ci, par-là et que tu nous lis quand les Nouveaux Artistes se rassemblent. Tu m'as donné la chair de poule plus d'une fois.

– Vraiment ? dit-elle, ravie d'entendre ça.

– Certain que c'est vrai. Ton histoire d'homme venu de l'au-delà m'a beaucoup impressionné. Tu sais, cet homme qui n'apparaissait qu'à minuit et qui venait se coucher près de la femme qui vivait seule.

– Pauvre femme... j'aurais pas voulu être à sa place.

– Où as-tu déniché cette idée géniale ?

– Là-dedans, dit-elle humblement, touchant son front de ses doigts.

– Quelle imagination, ajoute Gino en admiration devant sa capacité d'inventer de tels scénarios.

Il respire à pleins poumons l'air du parc gorgé des parfums de l'été et songe qu'ils sont chanceux d'être aussi choyés par la vie. Il repense à l'hôpital.

– C'est vrai, s'empresse-t-il d'ajouter, il faut que je te conduise à l'hôpital !

– Allons-y, si ça peut calmer tes inquiétudes, concède-t-elle, docile.

Elle lui doit bien ça.

❖ ❖ ❖

L E vieux chêne centenaire est devenu l'objet des tourments actuels de Dominique, depuis quelque temps. Pendant son voyage astral, sur le bras de son guide, ayant aperçu l'arbre centenaire au passage, son image est restée vivace dans sa tête. Bien qu'il lui ait semblé minuscule vu d'en haut, il lui fit forte impression. Cet arbre, le vieux Dominique ne s'en est pas approché depuis des lustres. Même si, au village, lorsqu'il s'y rend occasionnellement pour faire des achats, on vante les vertus des ombrages vivifiants du fabuleux spécimen végétal, cela n'arrive pas à le convaincre de retourner le voir. Surtout pas pour se coucher dessous, comme la majorité semble le faire. Rien qu'à y penser, il en frissonne. « Cet arbre devrait être coupé », songe-t-il.

La brunante tombe silencieusement dans la forêt, enveloppant les lieux d'un voile diaphane, annonçant aux animaux de la forêt qui chassent la nuit qu'il est l'heure de commencer leur ronde. Le vieux Dominique se berce sur le perron bas de sa cabane. Le temps est calme, l'air est saturé par l'odeur du sapin et des fougères, lesquelles viennent friser les extrémités du perron aux planches racornies. Il commence la lecture d'un nouveau bouquin qu'il a acheté au village. Le fanal à l'huile est allumé derrière lui, suspendu à un clou. Le livre raconte une histoire romanesque qui retrace les grandes lignes de la vie troublante d'une princesse oubliée, déshéritée, maltraitée comme la Cendrillon du fameux conte. Le résumé du livre l'a charmé aux premiers abords. Il a cru reconnaître un peu de Catherine dans le personnage : une femme d'une grande beauté, douce, généreuse, victime d'un sort cruel. Dominique a toujours pleuré sur le malheur des pauvres femmes injustement châtiées par le destin.

À peine a-t-il deux pages de lues qu'un bruit sec retentit dans les parages. Il lève les yeux et porte son regard sur la rivière qui coule en contrebas. Il n'aperçoit rien dans la pénombre, mais il est certain que le bruit provenait de cet endroit. Doit-il se lever pour se rassurer ? Non. Il replonge dans sa lecture en songeant qu'il s'agit sans doute d'une pierre qui, s'étant détachée de l'escarpement, est tombée à l'eau.

Les minutes passent, il est entré à nouveau dans le récit, lorsqu'un deuxième bruit, celui-là plus retentissant que le premier, l'arrache de son livre et le fait se lever d'instinct. Plus de doutes possibles, il y a quelque chose près de la rivière. Un animal ? Un malotru qui essaie de lui faire peur ? Ça ne serait pas la première fois. Plusieurs de cette espèce sont venus lui rendre de sales visites depuis qu'il vit en ermite. On a tenté de mettre le feu à sa cabane par une nuit d'hiver où il dormait du sommeil du juste, lancé des pierres dans les fenêtres, arraché la tête de sa cheminée, creusé des trous autour de sa cabane qu'on recouvrait de branches et de feuilles pour qu'il tombe et se rompe le cou. Tout ça est arrivé il y a très longtemps, au début de sa retraite, alors que les soupçons étaient très vivaces à son endroit concernant le meurtre de Catherine. Il a toujours su que c'était la famille immédiate de celle-ci qui agissait de la sorte. Puis un jour, tout s'est arrêté. On l'a laissé tranquille. Les malfaisants avaient fort probablement gagné d'autres contrées pour y vivre enfin leur vie.

Dominique entre dans la cabane et en ressort avec un fusil de chasse. Il ne veut prendre aucun risque. Il décroche son fanal et se dirige lentement vers la rivière, empruntant le petit raidillon qui mène directement à ses berges. Il avance prudemment sur le sentier scrutant le bord du rivage, dans la noirceur qui commence vraiment à s'installer. La lumière de la lampe tempête lui permet de poser le pied au bon endroit. À son âge, et vu les circonstances, ce n'est pas le temps de se tordre une cheville.

Il arrive enfin près du rivage, dépose la lampe sur le sol et tient son arme en position de tir. Malgré la faible luminosité, il y voit assez pour inspecter les lieux à son goût. Il n'y a rien qui peut expliquer le bruit. Il fouille même les bosquets qui trônent sur les bords et n'y débusque aucune bête ni aucun malfaiteur. Tout lui paraît normal. Il décide de rentrer. C'est alors qu'il assiste à une scène qui le paralyse sur place : toute la cabane est éclairée d'une lumière éblouissante et, par les fenêtres, il entrevoit une forme grotesque, immonde, sombre et démoniaque qui circule dans les lieux. Tous ses poils se hérissent sur son corps, il échappe le fusil et le fanal, médusé par le spectacle horrifiant. Il reprend ses esprits lorsque le fanal renversé s'enflamme à ses pieds. Il s'empresse de le pousser dans l'eau avec le bout de sa botte. Et, se retournant vivement pour ne rien manquer du tableau apocalyptique, il constate que tout s'est arrêté, que la cabane repose tranquille à l'abri des sapins qui se confondent dans la nuit naissante. Le pauvre homme déconcerté ne sait plus quoi penser. Il croit perdre la raison. Tant de choses étranges se sont produites ces derniers temps. Il récupère le fanal, ramasse son fusil et consent à retourner dans sa modeste demeure, bien qu'il appréhende la chose.

Les marches de l'escalier craquent sous ses pas et il en frissonne d'émoi. Pourtant, ce bruit anodin lui est familier. Sur le perron, il s'immobilise, appuie son fusil au mur, saisit la clenche de la porte et la relève doucement. Le claquement qu'elle produit crispe son cuir chevelu. Il inspire profondément et ouvre la porte vivement. Rien. Tout est paisible. L'obscurité baigne l'intérieur. Il entre, laisse la porte entrouverte et part en quête d'une chandelle. Il sait qu'il y en a sur les tablettes où sont étalés les livres. Il traverse la pièce à tâtons, heurte sa chaise, s'oriente vers la bibliothèque de fortune, étire une main tremblante sur le chandelier qu'il entrevoit à peine et s'en empare précipitamment. Les allumettes sont sur une tablette près du poêle à bois. Il tamponne de ses doigts la surface rugueuse de la planche et touche la boîte de carton qu'il prend et ouvre en vitesse. Une frayeur sans nom habite tout son être, qui est parcouru d'un frisson qui ne le quitte plus, depuis l'instant où il a vu cette créature infernale déambuler en ces lieux. Il s'apprête à craquer une allumette quand soudain, la porte se referme avec fracas. Il sursaute et frotte l'allumette d'un même élan. Il n'en croit pas ses yeux, il hallucine : pétrifié d'horreur, il distingue nettement, dans le halo lumineux de la flamme vacillante, un visage hideux qui lui lance des regards démoniaques. Magnétisé par ce qu'il voit, il n'ose plus bouger ; le feu vient lui brûler les doigts et l'arracher à cette vision d'enfer. Il se retrouve dans l'obscurité totale, gratte une deuxième allumette et porte la flamme fébrilement à la mèche de la chandelle. Au bord de l'apoplexie, il s'écroule littéralement dans sa berçante, ferme les yeux et prie. Catherine arrive aussitôt comme une entité qui vient se fondre en lui. Il la retrouve rassurante, porteuse d'espoir, compatissante devant son désarroi. Il l'entend lui dire qu'il ne doit pas se laisser dominer par la peur, que ce qui vient d'arriver n'est qu'un subterfuge utilisé par l'âme errante, dont elle lui a parlé aux limbes, pour tenter d'épuiser les énergies nouvelles qu'il a reçues. Elle soutient qu'une attitude détachée de sa part face à ces événements paranormaux est le meilleur moyen d'anéantir toutes tentatives sournoises de cette force maudite. Apaisé, Dominique tombe endormi dans la chaise près du poêle.

❖ ❖ ❖

Tout le monde se rassoit, docile, tandis que le prêtre s'installe devant le lutrin pour prononcer son homélie. Des regards curieux convergent vers les parents des deux disparus : Pauline et Cédric. Il y a deux semaines que le sermon du jeune curé, aux allures de séducteur, parle de l'affliction ressentie face à la terrible fatalité et enjoint les fidèles à s'unir dans la prière pour insuffler aux âmes déchirées une espérance renouvelée.

Veuve Chagnon est présente à l'office en ce dimanche matin. La femme de Pierre-Aimée Latour, son voisin, lui a offert généreusement la place à côté d'elle dans la voiture tandis que ses deux enfants s'assoyaient à l'arrière. Dans l'église, la vieille dame est assise dans la rangée centrale, presque en avant, et elle est celle qui épie les parents éplorés avec le plus d'insistance. Un chapeau à plumes sur la tête, une dentelle autour du cou, elle n'a qu'à tourner légèrement la tête sur la droite pour apercevoir les parents de Pauline près de la colonne. Ceux de Cédric ne sont pas dans son champ de vision. Le curé s'exprime d'une voix claire et douce. Malgré sa jeune trentaine, il a l'air sage, ses paroles sont profondes et efficaces. Il se met à parler des deuils, ceux qu'on arrive difficilement à faire parce qu'on n'accepte pas le départ des disparus. Il suggère de laisser libre cours au chagrin, aux larmes, aux mots qui délivrent du mal qu'on porte, aux cris, à la colère, aux protestations, aux émotions fortes qui, en s'exprimant, dégagent le corps et l'esprit d'un trop-plein et permettent à l'énergie positive de se recréer.

Veuve Chagnon voit Colombe, la mère de Pauline, sortir en vitesse un mouchoir de son sac pour absorber une effusion de larmes. Son époux lui murmure quelque chose à l'oreille. Sans doute lui propose-t-il de sortir. Elle répond par la négative en hochant la tête. Elle perd le contrôle de ses émotions, et les larmes se transforment en gémissements, puis en cris. Tout le monde la regarde. Son mari, cheveux noirs, de haute stature, fier et droit comme un piquet, se lève précipitamment et l'entraîne malgré elle hors du banc. « Non ! » hurle-t-elle à faire fendre l'église. Le curé se tait. La pauvre femme affligée résiste à son époux qui veut la sortir à tout prix, mais elle s'agrippe au banc voisin, qui est occupé par une jeune mère et ses deux enfants. Effrayés par Colombe devenue hystérique et qui continue à crier, les deux bambins se mettent à pleurer à leur tour, poussant des hurlements si puissants qu'ils retentissent dans la nef, déchirant outrageusement la quiétude du lieu saint. Bien que pathétique, la situation a quelque chose de dérisoire. Ces deux enfants, qui n'ont que deux et trois ans, se collent contre leur mère qui tente de les consoler, et en même temps, ils ne peuvent s'empêcher de regarder Colombe qui proteste en criant : « Non ! Non ! », ancrée fermement au banc de bois. Bientôt, d'autres enfants commencent à faire entendre leurs gémissements ici et là dans l'assemblée et bien vite, cela devient contagieux. Finalement, l'église tout entière se met à vibrer d'une cacophonie extraordinaire. Dépassés par la situation, amusés aussi, les gens n'ont d'autre choix que de quitter les lieux en emportant leurs bambins inconsolables. Ils sont si nombreux à le faire que finalement le prêtre annonce, en parlant fort dans le microphone pour couvrir tout ce vacarme, que l'office religieux est remis au dimanche suivant. On n'a jamais vu cela. Les gens âgés sont offusqués. Ils se retirent en protestant, car d'après eux, ce jeune curé inexpérimenté n'a pas le droit d'interrompre une cérémonie, ça ne s'est jamais vu, et il agit de façon immature.

La fierté de Jean-Claude en a pris un coup. Dehors, sur le perron de l'église, il respire enfin, trop heureux d'avoir finalement réussi à sortir son épouse éplorée. Quelques paroissiens mécontents les toisent au passage ou leur lancent carrément en hochant la tête : « Franchement ! », puis repartent outrés, ajoutant ainsi à leur honte et à leur malheur. D'autres bonnes âmes, plus chaleureuses, essaient de réconforter la pauvre femme en larmes, qui pleure sur l'épaule de son mari, en lui répétant qu'il lui faut être courageuse, que la vie va se charger de transformer sa peine en quelque chose de fécond. Colombe est trop affligée pour comprendre, mais Jean-Claude les remercie et entraîne son épouse en bas des marches. Ils s'en vont jusqu'à leur voiture, qui est stationnée à quelques pas, près de celle de Pierre-Aimée Latour, dans laquelle les occupants viennent de prendre place. Veuve Chagnon attache sa ceinture de sécurité lorsqu'elle lève les yeux et les aperçoit juste sur sa droite. Solange, la femme de Pierre-Aimée, démarre la voiture. « Attends ! » s'écrie la vieille dame en état d'alerte, posant une main sur le volant. Saisie de surprise, la jeune femme lui demande :

– Que se passe-t-il ?

– J'ai à leur parler, répond veuve Chagnon, qui cherche fébrilement le moyen de baisser la vitre.

Elle ne trouve pas la poignée qu'il faut tourner habituellement. « Comment fait-on pour descendre cette damnée vitre ? » dit-elle sous l'emprise d'une pulsion excessive. Solange pousse l'un des quatre boutons de la commande à sa gauche. À sa grande satisfaction, la vieille dame voit descendre la vitre et se dépêche d'interpeller le grand homme noir qui a déjà un pied dans la voiture. « Jean-Claude ! je sais qui a tué votre fille ! » proclame-t-elle, tout excitée. Sa main, sortie par la fenêtre, s'agite frénétiquement. L'homme se retourne vivement et la regarde, confus. « Que dites-vous ? » demande-t-il. Colombe, qui n'est pas encore embarquée, a entendu parler la vieille dame et arrive en courant pour savoir de quoi il en retourne. Depuis le temps qu'elle veut connaître la vérité. Elle aperçoit le visage crispé de veuve Chagnon dans la fenêtre et s'empresse de lui demander, les yeux rougis :

– Qui c'est ?

– Dominique Lapierre, répond la dame sans la moindre hésitation.

– Dominique Lapierre ! répète avec force Colombe, trop émotivement atteinte pour juger correctement la situation, convaincue que la vieille dit vrai.

Mécontent, son époux prend la parole :

– On n'accuse pas quelqu'un comme ça !

— Tu le défends, toi ! rétorque veuve Chagnon, qui aurait bien aimé avoir le bras plus long pour pouvoir le frapper.

— Je ne le défends pas ! Je dis que vous portez des accusations non fondées. Ce vieil homme n'a probablement rien à voir dans cette affaire.

— Comment le sais-tu ? lui lance brutalement sa femme. Il a bien fallu que quelqu'un les tue tous les deux ! Et ça pourrait très bien être ce vieux fou qui a perdu la raison.

— C'est ça, ma fille ! renchérit la veuve. Il est devenu fou depuis qu'il a poignardé sa Catherine. C'est lui qui a tué votre fille et le jeune garçon, j'en suis sûre ! Il faut l'arrêter avant qu'il recommence !

Solange tente de rassurer ses enfants apeurés à l'arrière et dit à sa passagère que cela suffit, qu'il faut partir. Mais la vieille ne l'entend pas sur ce ton. Elle s'objecte et affirme qu'ils ont le droit de savoir et qu'elle n'en a pas fini avec eux. « Alors descendez de ma voiture ! » l'oblige la conductrice, qui ne tient pas du tout à s'en faire imposer par cette vieille bonne femme à qui elle a voulu d'abord rendre service. Outrée, veuve Chagnon s'exécute sur-le-champ : nerveusement, elle a peine à détacher sa ceinture de sécurité, les plumes de son affreux chapeau balayant le plafond ; puis elle ouvre la portière, étire un pied sur le sol et s'extirpe de la voiture dans des gestes lents mais déterminés. Dehors, elle claque la portière avec force sans remercier Solange, qui relève la vitre et part en trombe. Colombe offre à la vieille dame d'embarquer, lui disant qu'ils vont la reconduire chez elle. Contrarié, Jean-Claude soupire mais consent à ouvrir la portière à l'arrière, où la vieille femme s'assoit docilement.

❖ ❖ ❖

L A voiture roule maintenant en direction de la sortie du village. Pour arriver à la route des Sauvages, il leur faut faire un long détour qui prolonge leur trajet d'une quinzaine de minutes, ce qui donne le temps à la nouvelle passagère de débiter encore bien d'autres folies qui n'ont pour effet que de troubler davantage l'esprit de Colombe. Pour abréger le supplice, son mari appuie sur le champignon autant que le permettent les méandres de la route.

— L'amour fait faire des folies, vous savez, raconte veuve Chagnon, bien engoncée dans ses dentelles. Poignarder sa fiancée veut dire qu'on est sous l'emprise d'un amour passionnel, possessif, obsessif.

— Vous semblez bien connaître la chose, fait observer Jean-Claude, qui ne peut s'empêcher d'être frappé par l'étrangeté du personnage, cette vieille femme esseulée qui vit en recluse depuis plusieurs années.

— Si je connais ça ? Évidemment...

— Expliquez-moi, je ne comprends pas.

— Que veux-tu que je t'explique ?

— Qui donc vous a renseignée autant sur les amours difficiles qui se terminent en drame passionnel ? En auriez-vous vécu un ?

— Jamais de la vie ! s'offusque veuve Chagnon, qui étire le cou entre les sièges baquets pour se faire entendre plus clairement. Frédéric et moi étions très unis et très heureux en amour, même si cela n'a pas duré aussi longtemps que je l'aurais souhaité.

Et elle se cale à nouveau au fond de son siège. Jean-Claude argumente encore :

— Peut-on vraiment connaître le cœur de l'autre ?

— Moi, je connaissais celui de mon mari ! Et je peux vous assurer à tous les deux qu'il m'aimait ! À part de ça, mon histoire n'a rien à voir avec l'affaire dont nous discutons. Il s'agit de Dominique Lapierre. C'est lui le nœud du problème.

— Oui, vous avez entièrement raison, madame Chagnon, abonde la jeune femme qui se sent immédiatement interpellée.

— Certain que j'ai raison, ma fille, puisque c'est lui qui a perpétré les crimes. Excusez-moi de tourner le fer dans la plaie, mais c'est nécessaire. Je suis convaincue qu'il a poignardé votre fille et son ami comme il l'a fait avec Catherine Lachance.

— C'est abominable ! s'horrifie Colombe, qui imagine la scène atroce et éclate à nouveau en sanglots.

Jean-Claude est exaspéré : « Regardez ce que vous avez fait avec vos histoires de fou, dit-il en frappant le tableau de bord de sa main droite. Vous perturbez ma femme ! Taisez-vous ou bien je vous laisse ici ! » Il augmente la vitesse pour pouvoir la débarquer au plus vite. Ils abordent tout juste la route des Sauvages, et la maison de la veuve est encore loin. Celle-ci ne réplique pas. L'homme ajoute, sur un ton de reproches :

— À part ça, si j'étais à votre place, j'arrêterais de dire que le vieux Dominique est fou et dangereux à cause qu'il vit seul en reclus depuis longtemps, parce que vous aussi vous êtes isolée depuis une éternité. Qui sait, vous êtes peut-être un peu dérangée également.

— Jean-Claude ! Je t'en prie ! l'admoneste sa femme entre deux spasmes.

L'homme reste coi. Veuve Chagnon se contente de rire et de répliquer calmement :

— Si je suis folle, mon garçon, on le verra lorsqu'on saura qui a commis les meurtres, lorsqu'on démasquera l'ignoble personnage qu'est Dominique Lapierre. À ce moment-là, vous verrez si je suis dérangée ou pas. Pour l'instant, mettez-vous la tête dans le sable aussi longtemps qu'il vous plaira, c'est votre affaire.

– Moi, je vous crois, madame Chagnon, dit Colombe qui éponge ses yeux, rassérénée. Il faudrait interroger ce vieil ermite.

– Les policiers n'ont pas de preuves, pas de pistes, rien, intervient Jean-Claude. Les enfants ont peut-être fait une fugue, tout simplement. S'ils ont été tués et enterrés, pourquoi alors n'ont-ils rien trouvé ? Ils ont ratissé toute la forêt où a été laissé le quatre-roues. Il faut attendre. Il va sûrement se produire un événement qui va nous éclairer davantage.

– Un événement ? interroge sa femme, sceptique.

– Oui, il survient toujours quelque chose après un drame comme celui-là qui conduit les policiers sur une piste. On dit que le meurtrier revient toujours sur les lieux du crime.

– Tu attends qu'il en tue d'autres ? dit la vieille dame avec cynisme.

– Ce n'est pas lui ! conclut Jean-Claude, actionnant le clignotant sur la gauche.

Ils sont enfin arrivés à destination.

❖　❖　❖

ICHAËL voit rouge depuis que Marco lui a raconté tout ce qui s'est passé au parc. La veille, il avait essayé de rejoindre Sophie au téléphone, mais n'avait réussi à la coincer nulle part de toute la journée. Il était même allé sonner à sa porte et sa mère lui avait répondu que sa fille était sortie. Où était-elle allée ? Rejoindre Gino Blais, ce moins que rien ! Résultat : Michaël n'a pratiquement pas fermé l'œil de la nuit, pressentant le pire. En ce dimanche, il jure de la trouver et de régler cette histoire au plus vite avant que cela s'envenime. Maintenant qu'il a dix-huit ans et que son père l'embauche à titre de chef d'équipe dans son entreprise de coulage de béton, il a revendu sa vieille Chevrolet pour acquérir une Ford Mustang sport flambant neuve, de couleur rouge. Dans le petit village de Jérico, lorsqu'il passe sur la rue Principale en faisant miroiter sa rutilante carrosserie, bien des têtes se retournent, et nombre de jeunes l'envient ou le maudissent pour sa chance inouïe. Quelques filles se pâment, d'abord pour la voiture, mais surtout pour lui. C'est le plus beau gars de la place, d'après l'inventaire qu'elles en font. Heureusement, il reste des filles qui pensent autrement et qui disent qu'il y a bien d'autres jolis garçons à Jérico. Celles-là ne voient pas seulement l'extérieur du personnage, mais son intérieur aussi. Apparemment, d'après ces dernières, l'intérieur du beau Michaël ne reflète malheureusement pas son extérieur, quoi qu'il fût si attrayant.

Alors qu'il passe près de l'épicerie où sont assises deux jeunes filles sur un banc, fumant une cigarette, il s'arrête et leur dit, avec ses grands airs de Casanova : « Allô, les filles ! On paresse à l'ombre ? Ça vous tenterait de faire un tour ? » Les deux filles se regardent, éberluées, ricanent et acceptent spontanément. L'une d'elles ouvre la portière toute neuve. « Une seule condition cependant, précise-t-il avant qu'elles embarquent, on ne fume pas à l'intérieur. » Elles jettent leur cigarette avec dédain, comme si cette chose s'était trouvée entre leurs doigts de façon involontaire.

Tout pour être avec le plus beau gars de Jérico. Ses cheveux noirs ondulés et ses immenses yeux verts exercent sur elles un effet hypnotique. Nathalie, blonde et très sexy, grimpe à l'arrière. Manon, cheveux roux, un peu timide, grande et raffinée, s'assoit à côté de lui, toute fébrile, bouclant sa ceinture de sécurité. La voiture repart en trombe, les enfonçant dans les sièges somptueux. Elles sont émerveillées. L'habile conducteur, nerveux et énergique, leur fait visiter tout le petit village, qu'elles connaissent déjà par cœur, se tortillant d'un coin de rue à l'autre. Elles en sont étourdies et ravies, quand enfin ils s'arrêtent au-dessus de la grande côte de l'église, là où ils jouissent d'une vue splendide. Ils aperçoivent même le fleuve Saint-Laurent à l'horizon. Ils sont stationnés en bordure d'un champ. Michaël sort de la voiture et va chercher trois cannettes de bière froide dans le coffre arrière. Il regagne sa place et leur offre à boire. Elles hésitent, car elles n'ont jamais pris d'alcool et craignent qu'il cherche peut-être à les abuser. Il insiste gentiment en leur disant qu'une bière ne fait de mal à personne et que cela restera leur secret. Elles acceptent.

— Tu as une voiture magnifique, Michaël, dit Nathalie après avoir ingurgité sa première gorgée.

— Elle a raison, abonde Manon, qui a bu aussi.

Michaël sourit et répond :

— J'ai acheté cette automobile pour célébrer mes dix-huit ans. Je suis un homme maintenant, un vrai. Sophie ne sait pas ce qu'elle manque.

Il avale une bonne gorgée qu'elles voient descendre dans sa gorge.

— Pourquoi n'est-elle pas avec toi ? l'interroge tout bonnement Manon.

— Je ne sais pas, les filles, je voulais justement vous poser la question.

— À nous ? s'étonne Nathalie, qui sent les rayons du soleil lui chauffer les épaules à l'arrière.

— Oui, à vous. Elle n'est pas chez elle. Je l'ai cherchée ce matin et hier aussi. Vous la connaissez bien, dites-moi ce qui se passe avec elle.

— On n'en sait rien, affirment-elles.

— Ne faites pas les hypocrites, voulez-vous ? J'ai été informé de source sûre à son sujet et on m'a révélé qu'elle fréquentait quelqu'un d'autre. Ne me dites pas que vous ne les avez pas vus tous les deux, elle et ce garçon, dans le parc hier matin !

Le ton monte. La tension également. Les filles n'ont plus soif. En fait, elles ont tellement chaud qu'elles suffoquent. « Sortons, propose Nathalie, qui cuit. On va jaser dehors. » En douce, Michaël tourne la clé de contact juste assez pour pouvoir verrouiller les portières avec sa commande personnelle. Cette voiture particulière est munie d'un dispositif qui non seulement verrouille les portes, mais aussi annule la commande directe de la portière de droite ; une sécurité pour les enfants et une assurance pour les parents. Ensuite, il remonte les vitres presque jusqu'en haut, ne laissant qu'une ouverture d'à peine deux centimètres. Le système de blocage compte aussi pour les fenêtres. Manon tente de toutes les façons d'ouvrir la portière et de descendre la fenêtre, mais elle n'y parvient pas. Les rayons puissants du soleil dansent sur le capot flamboyant tel un feu infernal. Nathalie crève de chaleur. Elle s'énerve, s'avance, frappe le jeune homme à l'épaule et lui ordonne : « Laisse-nous sortir immédiatement ! » Elle tape dessus à grands coups. Manon, plus modérée, se contente de détacher sa ceinture et de boire une grande gorgée de bière d'une main tremblante. La sueur perle à son front. Elle pose un regard inquiet sur Michaël, celui qui leur fait tourner la tête depuis la petite enfance. Maintenant, il lui fait horreur. C'est alors qu'elle proclame : « Il faut sortir d'ici ! » subitement aux prises avec une sorte de crise de panique ou de claustrophobie.

— Dites-moi d'abord ce que vous savez sur ce qui se passe entre Sophie et Gino, dit Michaël, apparemment à l'aise dans cette atmosphère suffocante, avalant une autre gorgée.

— On n'en sait rien ! hurle Nathalie, qui secoue le dossier de sa banquette.

– Arrête ça ! proteste-t-il, refusant qu'on malmène de quelque façon sa nouvelle acquisition.

– Il faut sortir ! s'écrie Manon, dont le visage devient écarlate. (Elle se met alors à frapper à grands coups de poing dans la vitre.)

– Laisse-nous sortir ! tempête Nathalie à pleins poumons, paniquée de voir son amie, en état de crise, qui martèle la vitre.

– Arrête ça ! lui ordonne encore l'homme insouciant, qui ne réalise pas l'ampleur du drame.

Nathalie ne fait ni une ni deux : elle ouvre la pochette qu'elle porte à sa ceinture, sort un rouge à lèvres qu'elle décapuchonne et lui dit, en faisant surgir la masse graisseuse qu'elle pointe vers le plafond tapissé d'une matière spongieuse : « Si tu ne nous laisses pas sortir immédiatement, je barbouille tout l'arrière de l'auto ! » Elle est déterminée, il le voit dans ses yeux. Les cris et les martèlements de Manon résonnent dans leurs oreilles comme des coups violents portés droit au cœur. La pauvre fille est déchaînée, au bord de l'apoplexie. Catastrophé, Michaël dit à Nathalie : « Ne fais pas ça ! Et toi, Manon, arrête de cogner dans la vitre, tu vas la… casser », soupire Michaël dépité, car un coup porté avec force a fait éclater la vitre. Manon s'est blessée à la main. Elle pleure. Figé sur place, Michaël est dépassé par les événements. « Vas-tu enfin ouvrir ! » crie Nathalie devenue hystérique, et qui darde sur lui la masse graisseuse, barbouillant son beau visage sans retenue. Repoussant le rouge à lèvres d'une main, de l'autre il déverrouille les portières et sort de la voiture. Manon n'ose plus rien faire. Elle est paralysée à la vue de tout ce sang qui coule de sa main droite, tombant sur son short blanc et sur la banquette grise. Michaël se dépêche de la faire sortir. Nathalie s'extirpe enfin de cette fournaise et porte secours à son amie, qui s'est agenouillée dans l'herbe.

Elle lui fait un garrot avec le t-shirt blanc signé « Calvin Klein » que Michaël a retiré et lui a donné. Ce dernier constate les dégâts à l'intérieur de sa dernière acquisition. Le siège de la banquette avant est maculé de sang, l'intérieur de la portière aussi, et le dossier de son siège porte des marques de rouge à lèvres. Il est très en colère.

— Vous avez souillé ma belle voiture neuve ! gueule-t-il, furieux.

— Tant pis pour toi, salaud ! lui crache méchamment Nathalie.

Manon reprend tranquillement ses esprits. Des autos passent sur la route. Nathalie l'entraîne avec elle dans le but de faire de l'auto-stop. Les voyant s'avancer vers la route, presque repentant, le jeune homme propose, en les rattrapant :

— Je vais vous reconduire... embarquez, vous ne risquez rien.

— Jamais ! proteste Nathalie sans se retourner, entraînant son amie par le bras.

Celle-ci s'arrête brusquement, s'arrache de l'emprise de Nathalie, ferme le poing de sa main valide et l'envoie directement au visage barbouillé de ce beau séducteur raté, qui tombe sous l'impact. « Aie ! tu m'as cassé le nez, salope ! » s'horrifie l'ignoble individu assailli d'une douleur vive. Des gouttes de sang tombent dans l'herbe. Les filles le laissent gémir et arrêtent la camionnette du vieux Dominique qui, bizarrement, passait par là à cet instant précis.

— Qui est-ce ? demande ce dernier aux filles qui viennent de monter à côté de lui, voyant le jeune homme à quatre pattes, du sang sur les mains.

— Un salaud ! répond aussitôt Manon.

Nathalie acquiesce. Le regard du garçon croise celui du vieux et une chose étrange se produit : Dominique voit l'iris de Michaël devenir rouge. Rouge et mauvais comme l'enfer. Il embraye d'avant et reprend la route sans chercher à en savoir plus. Catherine l'a prévenu qu'on essaierait de l'atteindre par tous les moyens. Voilà que cette entité errante se sert même des pauvres innocents.

— Qu'est-il arrivé à ce garçon ? interroge Dominique. (La camionnette descend maintenant la grande côte du village.)

— Il a eu ce qu'il méritait, répond Nathalie, encore toute retournée.

— Qu'as-tu à la main ?

Le vieil homme vient de s'apercevoir que la grande rousse a un bandage. Les filles s'adressent un regard complice. Manon ne répond pas tout de suite. Doivent-elles incriminer Michaël ? Elles n'ont même pas quinze ans ; que diraient leurs parents s'ils apprenaient qu'elles ont embarqué avec lui et qu'il leur a fait boire de la bière ? En jetant un regard entendu à Manon, Nathalie ment :

– Elle s'est brûlé la main sur le moteur de la voiture de Michaël.

– Sur le moteur ?

– Oui, s'empresse de répondre Manon, venant à la rescousse de son amie. Je suis curieuse de nature et j'ai demandé à Michaël d'ouvrir le capot pour que je puisse admirer la mécanique. Je suis un peu garçon manqué, même si je n'en ai pas l'air.

Dominique ne croit pas un mot de leur histoire. « Ce Michaël est en mauvaise posture, songe-t-il, il saigne du nez et il doit les avoir malmenées. La blessure à la main de la fille n'origine probablement pas d'une brûlure. » Quoi qu'il en soit, il ne veut pas les embarrasser et propose gentiment d'aller les déposer à la clinique. Manon refuse catégoriquement et le prie de les débarquer au village, ce qu'il concède, les laissant près du parc, à leur demande. La vieille camionnette bleue repart en vrombissant. Les filles s'avancent près d'une fontaine. Nathalie dégage la main de son amie et laisse les gouttelettes fraîches laver et désinfecter sa plaie. Il fait si chaud cet après-midi-là que peu de gens se trouvent dans le parc. Seuls quelques gamins se lancent la balle, et des personnes âgées se prélassent à l'ombre des tilleuls. Heureusement qu'on ne s'intéresse pas à elles, car les filles ont leur short maculé de sang et leurs agissements sont questionnables. Dieu merci, la blessure de Manon est superficielle. Comment regagner leur foyer sans être vues ? « Salut, les filles ! » Une voix familière les interpelle. C'est Sophie qui traverse la rue en venant vers elles. La jolie fille aux longs cheveux noirs les interroge immédiatement sur ce qui leur est arrivé en apercevant le sang sur leurs vêtements.

– C'est rien… marmonne Nathalie.

– Rien ! riposte Sophie, qui soupçonne qu'un drame s'est produit.

Manon reste muette, tête basse, essayant de dissimuler sa plaie. Elles ont peur que cette histoire s'ébruite si elles parlent. Surtout, elles craignent la réaction de Sophie, si elle devait apprendre que

Michaël les a fait monter en voiture pour leur faire ce qu'il a fait. Mais elles sont trahies avant même qu'elles cherchent d'autres faux-fuyants, lorsque Sophie reconnaît le t-shirt du jeune homme.

– C'est à Michaël ça ! s'exclame-t-elle hébétée en ramassant le chandail sur le sol, l'inspectant sous toutes ses coutures. Je le reconnais, c'est moi qui lui ai acheté ce Calvin Klein. Que faites-vous avec ça ? Et pourquoi est-il taché de sang ?

– Euh…, fait Manon.

– C'est lui qui t'a blessée à la main ? ajoute Sophie qui sent son cœur s'emballer.

– Eh bien…, bredouille encore la rousse.

Voyant que les filles ne veulent pas parler, Sophie s'énerve et dit sur un ton ferme : « Vous allez me dire ce qui s'est passé ! Qu'est-ce qu'il vous a fait ? » Manon se met à pleurer. Nathalie raconte, honteuse :

– Il nous a proposé d'embarquer avec lui dans sa nouvelle voiture et on a accepté et…

– Et quoi ?

Sophie a les yeux exorbités. Michaël est si imprévisible. Alors Manon cesse de gémir et lui raconte toute l'histoire du début à la fin et termine en concluant que c'est un sale pervers et qu'il ne mérite pas une fille comme elle. Sophie est abasourdie. Michaël a le cerveau dérangé. Son affaire de lianes est en train de le rendre fou. Juste à ce moment-là, elles entendent vrombir le moteur de son super bolide à l'entrée du village. Les filles regardent en direction du magasin de chaussures où il va surgir d'une seconde à l'autre. Effectivement, telle une raie de feu, la flamboyante carrosserie se profile aussitôt sur la rue Principale et vient s'arrêter au feu rouge à l'intersection, à peine à quelques mètres d'elles. Sophie est certaine qu'il va passer sous leur nez pour filer chez lui ou au salon de billard. Elle s'en va l'attendre sur le trottoir. Il est là sur le coin de la rue, impatient, jouant sur les gaz, indiquant son intention de tourner à droite. Quand le feu devient vert, il fonce à plein régime, faisant gronder le moteur, et il reconnaît Sophie qui fait de l'auto-stop. Il roule jusqu'à elle et applique les freins brusquement en faisant crisser les pneus sur la chaussée brûlante.

Il a pris soin de retirer tous les morceaux de la vitre cassée et de baisser ce qui reste de celle-ci jusqu'en bas. Sur le siège du passager, il a étendu une couverture à carreaux qu'il gardait dans le coffre arrière, essuyé tant bien que mal les traces de rouge à lèvres sur le dossier de sa banquette et effacé toutes celles sur son visage. Il avait prévu se remettre à la recherche de Sophie après le départ des filles. Son nez n'est pas cassé et il ne saigne plus. Cependant, il a un œil au beurre noir qu'il dissimule derrière des verres fumés. « Sophie ! dit-il, l'air heureux. Monte, on va faire un tour. » Trop content de l'avoir enfin retrouvée, il ne remarque même pas la présence des deux filles près de la fontaine. Celles-ci lui jettent un œil méchant. Sophie grimpe à l'intérieur, le t-shirt blanc dans la main droite. Elle referme la portière, le cale à côté d'elle et boucle sa ceinture. C'est sa première balade en Mustang. Michaël est ravi de la voir et le lui manifeste en caressant ses longs cheveux noirs. Il repart aussi vite qu'il est arrivé. Des tas de questions lui brûlent les lèvres. Il ne sait plus par où commencer. La peur de la perdre et la jalousie le rendent confus. Il préfère attendre un peu pour la questionner sur son emploi du temps de la veille. Quant à elle, elle fulmine trop pour lui mettre la preuve de son crime sous le nez. Il vaut mieux aller se stationner quelque part pour pouvoir discuter calmement.

Ils sillonnent allègrement les rues du village en jasant de ci et de ça et finalement, Sophie propose de filer jusqu'à la rivière. Près du vieux chêne, elle sait qu'elle trouvera les mots pour clore à jamais leur romance. Là-bas, Gino s'y trouve peut-être. L'ayant rencontré en matinée, ce dernier lui a dit qu'il comptait s'y rendre pour s'y baigner avec des copains. Depuis qu'ils se sont rapprochés tous les deux, Sophie s'aperçoit que tranquillement, l'amour est en train de renaître dans son cœur. D'ailleurs, la veille, tandis qu'il la conduisait à l'hôpital, il lui a déclaré qu'il ne rêverait plus qu'à elle désormais, ce qui l'avait fait rougir, elle qui est si romantique. À son grand soulagement, le médecin l'a trouvée en parfaite santé. Son équilibre psychologique n'avait pas trop souffert de l'attaque de l'ours. Gino était rassuré et elle, heureuse de le voir aussi ravi. Ils avaient passé le reste de la journée à flâner ici et là dans les environs, à se raconter leurs rêves et leurs aspirations. C'est pourquoi Michaël n'arrivait à la coincer nulle part, puisqu'elle n'était rentrée qu'à minuit.

Pour se rendre au chêne, il faut passer par le Troisième Rang, rouler pendant plus de deux milles en direction ouest et tourner à l'embouchure du chemin d'Alcide Gamache. Ce chemin est en quelque sorte une petite route étroite qui remonte les champs de culture du père Gamache et mène directement à la rivière. Si le vieux Alcide le voulait, cet endroit pourrait devenir touristique, on pourrait créer un genre de plage municipale et même un terrain de camping, mais il s'y refuse catégoriquement. Il dit que ses terres aux abords de la rivière sont peuplées d'arbres centenaires qui appartiennent aux Gamache depuis cinq générations et que personne ne viendra couper une branche de son domaine ni s'approprier son bien. Qu'on vienne s'y prélasser simplement pendant la belle saison, cela ne lui fait rien, en autant qu'on respecte sa propriété.

La belle Mustang vire à droite, en direction nord. Les pneus neufs écrasent le sable fin qui recouvre le fond du chemin d'Alcide Gamache. Les deux occupants de la voiture ne sont pas très bavards. Sophie voit défiler sur la gauche les piquets de la clôture qui borde le champ et l'amorce de la montagne de l'autre côté. Sa pensée vagabonde. Elle est assise à côté d'un psychopathe en herbe. L'histoire que lui ont racontée les filles l'a complètement bouleversée. Elle ne pensait pas que Michaël puisse se révéler de nature aussi tordue, sadique, méchante. Elle espère que Gino et ses amis seront à la rivière, au cas où Michaël se mettrait en tête de lui faire un mauvais parti. Ils arrivent enfin à l'orée du bois où ils laissent la voiture. Sophie croyait qu'il y aurait d'autres véhicules. Le dimanche est généralement très prisé, par temps chaud, par les gens du village qui veulent s'étendre sous le chêne et se baigner. « Ils sont peut-être venus à bicyclette », songe-t-elle.

La fraîcheur de la forêt les accueille gentiment tandis qu'ils s'avancent en direction de la rivière. L'arbre majestueux est là, au-devant d'eux, à quelques pas. Sophie caresse les hautes fougères au passage, d'une main distraite, anticipant le moment où ils s'arrêteront pour entrer dans le vif du sujet. Elle frissonne. Ses bras se couvrent de chair de poule. Michaël le remarque.

— Tu as froid ? Par ce temps ? s'étonne-t-il.

— Un peu. Ce doit être le sous-bois ou un rhume qui s'annonce. D'ailleurs, quand je suis nerveuse et contrariée, j'ai tendance à avoir le rhume.

— Aurais-tu quelque chose sur la conscience, ma chérie ? Quelque chose que tu n'oses m'avouer ?

Il songe à son escapade avec Gino. Il la croit honteuse.

— Je n'ai rien sur la conscience, rien dont je pourrais rougir.

— Tant mieux pour toi, ajoute-t-il, ironique.

Ils arrivent près du chêne. Sophie prête l'oreille et avance jusqu'à la rivière. Gino et ses copains ne sont pas là. Du moins, ils ne sont pas en vue. Aucune bicyclette ne traîne dans les parages, aucun amoureux ne se prélasse sous le vieux chêne. Qu'est-ce que cela veut dire ? Croit-on vraiment qu'un meurtrier rôde dans ces bois ?

Michaël n'aime pas beaucoup cet endroit. Lui aussi a la chair de poule maintenant lorsqu'il regarde couler l'eau de la rivière ; il se remémore l'épisode de la liane qui l'a tiré au fond de l'eau. Il se tourne vers le grand chêne et frissonne en contemplant sa majesté, son port branchu, son tronc noueux et tortueux, semblable à un immense serpent. Il croit que cet arbre lui veut du mal. Sophie suggère de s'asseoir à son ombre, mais il préfère rester au soleil, au bord de l'eau. La jeune fille le trouve bien étrange. Elle n'arrive pas à distinguer son regard à travers ses lunettes noires. Elle consent à prendre place à côté de lui sur l'herbe. L'eau ruisselle à leurs pieds.

— Où étais-tu hier ? demande-t-il à brûle-pourpoint.

« Voilà, c'est le début de la fin », pense-t-elle.

— Tu le sais. Ne fais pas semblant.

— Tu as raison. Je sais tout. Marco...

— T'a tout rapporté, je sais. Il t'a dit qu'il m'avait vue dans le parc avec Gino Blais et c'est vrai. J'étais là avec lui. Je ne m'en cache pas. D'ailleurs, à ce propos...

— Tu l'aimes ?

— Oui... eh bien... je crois que oui.

— Et moi ? Qu'est-ce que je deviens ?

Ils parlent en fixant un point dans la rivière.

— Toi, tu n'as pas le choix, Michaël, tu acceptes que ce soit fini. Je n'ai plus de sentiments pour toi.

— C'est impossible ! clame Michaël, qui se tourne vers elle.

Impulsif, il retire ses verres sans réfléchir.

— Qu'est-ce que c'est ? murmure-t-elle, devinant aussitôt la réponse, car Manon lui avait dit qu'elle l'avait frappé au visage.

Hors de lui, Michaël l'attrape par les épaules et la secoue violemment en lui criant qu'elle lui appartient et qu'il ne laissera pas un insignifiant comme Gino Blais lui voler la plus belle fille du comté. Sophie se démène pour s'arracher à son emprise, et dans son emportement, elle se lève et culbute dans la rivière. Elle tente de se remettre debout dans l'eau, quand Michaël voit surgir de toutes parts dans le courant des bouts de lianes qui se tortillent comme des couleuvres. Il lui crie de sortir de là au plus vite, croyant qu'elle se fera attraper. Elle se relève enfin, avec de l'eau jusqu'aux genoux, et l'admoneste de belle façon, ses vêtements collés sur son corps, ses longs cheveux dégoulinants : « Je sais que tu as agressé Nathalie et Manon ! Elles me l'ont dit ! D'ailleurs, cet œil au beurre noir, c'est Manon qui te l'a fait ! » Il ne profère aucun son, devenu muet à la vue de ces horreurs dans la rivière, mais que Sophie n'a pas le temps d'apercevoir, tant elle est en colère. « La preuve est dans ton auto ! enchaîne-t-elle. Tu n'es qu'un salaud de la pire espèce ! Sadique ! C'est criminel ce que tu as fait ! Compte-toi chanceux qu'elles ne portent pas plainte. À leur place, je le ferais. Ça te donnerait une bonne leçon. Est-ce que tu m'entends ? » hurle-t-elle à s'époumoner, réalisant qu'il ne réagit pas normalement. « Michaël ! » lui crie-t-elle de nouveau. « Sors de là vite ! » laisse-t-il enfin échapper, lui tendant la main.

Elle consent à l'écouter, et sitôt qu'elle a mis le pied hors de l'eau, tout s'arrête. Michaël est médusé une fois de plus. Elle n'a rien vu et il le sait. Il veut lui raconter ce qui s'est passé, mais elle aime mieux mettre les mains sur ses oreilles pour ne rien entendre. Il perd la tête. Cette histoire de lianes vivantes est en train de le rendre complètement fou. Fou et dangereux. Elle continue d'ailleurs à lui faire la leçon au sujet de l'épisode avec les deux filles et l'entraîne vers la voiture pour lui montrer le t-shirt souillé de sang. « Veux-tu qu'on fasse faire un échantillon sanguin pour confirmer ? » Il avoue son crime et se jette dans ses bras en braillant comme un veau. De nature compatissante, Sophie ne le repousse pas et le laisse s'épancher. Puis elle l'écarte à bout de bras et lui dit : « C'est fini entre nous. Ramène-moi au village. »

Dépité, Michaël n'ose plus riposter. Dans sa tête, c'est le chaos total. La réalité se confond avec la fiction, l'émotion vive lui serre la gorge comme un étau, son cerveau disjoncte et il n'arrive plus à raisonner clairement. Sophie s'écarte de lui et ouvre la portière pour embarquer, lorsqu'elle voit Gino arriver en bicyclette. Il est seul. Son cœur se met à battre très fort. Elle craint le pire. Michaël ne l'a pas encore vu. Celui-ci contourne la voiture et ouvre sa portière dans des gestes mécaniques. Gino arrive près d'eux, s'arrête, descend de sa bicyclette qu'il appuie contre un arbre. Michaël se retourne, l'aperçoit et dit d'une voix morne :

– Bonjour, Gino, belle journée ?

– Oui... murmure faiblement le nouvel arrivant, qui décèle de l'inquiétude dans les yeux de Sophie, laquelle attend toujours pour embarquer.

Le grand noir aux yeux d'émeraude étire une jambe et prend place sur la petite banquette grise. Il est complètement abruti. Sophie réalise qu'il ne se souvient pas de ce qu'elle lui a déclaré près de la rivière. Il a tout occulté inconsciemment, ou bien il n'arrive plus à s'en souvenir à cause d'une chose qu'il dit avoir vue... Gino ne sait plus quoi faire. Doit-il profiter de la situation pour faire une mise au point avec son rival ou partir se baigner à la rivière, comme il l'avait prévu ? Il trouve réponse à sa question assez vite lorsque Sophie dit : « On va se revoir ce soir, Gino. » Ce dernier acquiesce d'un signe de tête, jette un regard méfiant sur Michaël, qui n'a pas l'air dans son assiette, silencieux au volant de sa voiture. « Qu'est-ce qu'il a ? se demande-t-il. Serait-ce que Sophie lui a tout avoué et qu'il se résigne à l'accepter ? Ça ne lui ressemble pas. Michaël a toujours été si possessif. »

C'est alors que celui-ci émerge de sa torpeur en entendant résonner en écho dans sa tête les dernières paroles qu'a prononcées son amie. « Quoi ! Toi et lui ! » lance-t-il, ahuri. Il ressort de la voiture, pose un œil méprisant sur Gino, qui attend près de sa bicyclette, et va rejoindre Sophie à grandes enjambées. Tout ce qu'elle lui a dit près de la rivière lui revient en mémoire comme une vague géante qui frappe un rocher. La jeune fille pressent le pire ; elle referme la portière, contourne la voiture par l'avant et va se blottir à côté de Gino, qui affiche un air confiant. Michaël les fusille des yeux et s'approche d'eux en gueulant : « Laisse ma blonde tranquille, sale morveux ! » De son bras, Gino entoure les épaules de Sophie qui frissonne. Finalement, l'attaque de l'ours semble l'avoir ébranlée plus qu'elle le croyait : « Va-t'en ! » s'écrie-t-elle à l'endroit de Michaël, qui serre les poings en invitant son rival au combat. Ce dernier, poussé par un afflux d'adrénaline, serre aussi les poings et fonce sur lui. « Ne faites pas ça ! » crie Sophie, qui cache son visage de ses mains. Déjà, Michaël porte une droite à la mâchoire de Gino qui encaisse solidement, ripostant également par une droite qui, portée en plein au visage de son opposant, l'envoie rouler sur le capot étincelant de la Mustang. Un corps-à-corps s'ensuit sur la tôle fragile, laquelle ondule et bosselle sous leur poids. Ils tombent sur le sol, se rouent de coups, s'invectivent.

Sophie pleure et les supplie d'arrêter. Gino colle son adversaire au sol et lui assène un coup fatal qui lui casse le nez. Cette fois, c'est vrai. Il saigne abondamment et souffre le martyre. Le petit blond se relève et va consoler son amie qui est secouée de spasmes. Michaël tente de se relever, une main sur le nez. Le sang coule sur son menton. Sophie, compatissante, court chercher le t-shirt déjà maculé de sang et le lui tend. Il s'en empare avec rage et l'applique sous son nez tuméfié. Il les défie du regard, grimpe à bord de sa voiture, constate les dégâts dans le rétroviseur et crache à leur endroit : « Vous allez me le payer très cher. » Puis il démarre en les ensevelissant de poussière, sa belle voiture et son beau visage cabossés.

❖　❖　❖

E N ce début du mois d'août, Lyne Francœur désire à tout prix rencontrer le vieux Dominique. Ils ne se sont jamais adressé la parole. Même si le vieil homme se rend au moins une fois par semaine chercher son courrier au bureau de poste, le hasard n'a jamais permis qu'ils se croisent. Il faut dire que Lyne est en poste seulement depuis quelques mois. Tout ce que lui a raconté son grand-père sur l'ermite a piqué sa curiosité à un tel point et fait surgir tant de questionnements qu'elle n'en dort presque plus. Il lui faut trouver une façon d'apaiser ses esprits. Les accusations de veuve Chagnon, également, ont ajouté à son tourment. Sans le savoir, Lyne possède peut-être une âme de justicière. Colombe Sarrasin, à qui veuve Chagnon a clamé et vendu l'idée que le meurtrier de sa fille est le vieux Dominique, raconte souvent à Lyne qu'elle va bientôt le faire arrêter et emprisonner pour meurtre. Il est temps d'agir. Lyne a le sentiment que certains manquent de jugement dans cette affaire et que d'autres agissent par esprit de vengeance.

Pour arriver au repaire du vieux, il faut traverser le village sur toute sa longueur, rouler un mille sur la route principale et tourner à droite au chemin du Bras. Tout au bout, on débouche sur un petit sentier plus ou moins carrossable qui sillonne la forêt et mène directement à la cabane du vieux Dominique. Il faut rouler une bonne quinzaine de minutes dans le sentier cahoteux avant d'arriver à destination. La fourgonnette blanche de la grosse fille valse et tangue en avançant lentement sur la surface jonchée de cailloux et truffée de nids de poule. Fébrile, la jeune conductrice voit frémir sur sa poitrine le coton de son t-shirt rose, tellement son cœur bat fort. Et si le vieil ermite s'avérait être le meurtrier ? Et si c'était lui qui avait tué Catherine Lachance dans le passé ? Soudainement, elle réalise la témérité de son geste et pense à faire demi-tour. Personne ne sait qu'elle est là. S'il veut la tuer, pas un chat ne viendra à son secours et personne ne saura ce qui lui est arrivé. Elle freine et serre le volant de toutes ses forces pour tenter de conserver son sang-froid. Elle ne va pas faire marche arrière maintenant, car il y a plus de deux semaines qu'elle ramasse assez de courage pour oser agir.

Avant qu'elle creuse plus loin sa réflexion, un arbre géant tombe en travers du sentier, juste devant le capot de sa voiture, dans un fracas assourdissant. Elle pousse un cri terrible et aperçoit le vieux Dominique qui surgit de la forêt avec sa tronçonneuse à la main en rugissant méchamment. Étonné, il la voit et lui lance un regard douteux. Elle panique et embraye à reculons dans des gestes nerveux. Elle croit qu'il va la taillader en morceaux comme il l'a sûrement fait pour Pauline et Cédric. Veuve Chagnon serait fière de savoir ce qu'elle pense à cet instant précis. Mais elle ne va pas plus loin : la roue arrière gauche tombe dans une cavité profonde et refuse d'en sortir, bien qu'elle écrase l'accélérateur au tapis. Elle aperçoit le vieil homme déposer sa scie et venir vers elle. En état d'alerte, Lyne s'extirpe du véhicule en vitesse et court dans le sentier en direction opposée. Dominique s'arrête et lui crie : « N'ayez pas peur, mademoiselle ! Je vais vous aider à sortir de là ! » La voix qu'elle entend ressemble à celle de son grand-père. Celui-ci lui a souvent dit que Dominique et lui étaient de bons amis autrefois. Elle s'arrête et se retourne. Ils s'observent de loin, l'espace de quelques secondes, et Lyne ose lui demander :

– Vous me jurez que vous ne me ferez pas de mal ?

– Pourquoi te ferais-je du mal, petite ? répond le vieux en levant les mains. C'est l'arbre qui t'a fait peur ? Pardonne-moi, j'étais à cent lieues d'imaginer que quelqu'un passerait dans le sentier au moment où il est tombé. Tu comprends, jamais personne ne vient ici. Ils ont tous peur de moi. Ils croient que j'ai perdu la raison, que je suis dangereux et sauvage.

« Il a l'air inoffensif », pense Lyne en s'avançant lentement. Dominique s'approche de la fourgonnette blanche dont la portière est restée ouverte. L'avertisseur sonore carillonne, alors il referme la portière et soupire d'aise. Ces gadgets modernes lui mettent les nerfs en boule. La grosse fille en culotte courte arrive près de son véhicule et observe le vieil homme qui est penché et étudie la situation. Il se relève au bout de quelques secondes et dit à la nouvelle venue de s'asseoir au volant et d'embrayer d'avant. Elle s'exécute et, par le rétroviseur, elle voit grimacer et forcer le vieil homme. La voiture hésite un peu, exécute quelques va-et-vient et se retrouve bien à plat sur ses quatre roues. Dominique vient jusqu'à sa fenêtre et lui dit fièrement :

– J'ai encore du nerf, tu ne trouves pas ?

– Parfaitement. Une chance que je vous ai eu.

– Tu n'es pas venue ici juste pour me voir forcer ?

– Non, en effet. Je voulais vous parler. On ne se connaît pas, mais nous avons un ami commun.

– Lequel ?

– Mon grand-père, François Francœur.

– Tu es sa petite-fille ? Alors descends vite de cette voiture, je t'invite à boire un rafraîchissement à ma cabane. Tu n'as pas peur au moins ?

– Non... ment-elle rien qu'un peu en ouvrant la portière.

Il s'écarte et elle sort. Il sourit. C'est la première fois qu'il reçoit une visite courtoise, après toutes ces années. « Cette fille est brave, songe-t-il, avec la réputation " d'homme-sauvage " qu'on m'attribue... »

– Et votre arbre ? dit-elle en enjambant le tronc géant.

– Il attendra. Maintenant qu'il est couché à terre, c'est tout ce qu'il lui reste à faire.

« Ses propos sont sensés », songe-t-elle, plus rassurée en marchant à ses côtés. La chaleur dans cette forêt est à couper le souffle.

– Comment faites-vous pour supporter cette chaleur ? ne peut-elle s'empêcher de lui demander.

– On s'habitue, on s'habitue. L'homme s'habitue à tout, mon enfant. À tout, même au pire.

Que veut-il dire ? « Il est mystérieux cependant », constate Lyne dont l'esprit fourmille de questions. À l'issue d'une courte balade, ils arrivent à la cabane. La jeune fille la voit enfin. On lui en a souvent parlé en des termes peu élogieux, décrivant les lieux comme l'antre d'un démon, le repaire de l'ogre. Est-ce si loin de la vérité ?

❖ ❖ ❖

Entre-temps, la réunion des Nouveaux Artistes s'apprête à débuter sous le grand chêne. Une fois de plus, Sophie avait proposé l'endroit et l'on avait accepté presque à l'unanimité. Seuls Michaël et Marco s'y étaient objecté, mais la majorité l'avait emporté. Ils ne sont que huit finalement, tous assis en cercle à l'ombre de l'arbre gigantesque. Il est deux heures de l'après-midi, il fait aussi chaud de ce côté de la montagne que de l'autre, et tout le monde veut se baigner. Sophie, qui préside l'assemblée, suggère une courte baignade, question de se rafraîchir avant de commencer pour de bon les échanges culturels. Riant et criant, ils se jettent presque tous à l'eau, sans prendre le temps d'enfiler un maillot de bain, étant donné qu'ils ne portent qu'un short et une camisole légère. Sophie reste seule avec Gino. Ça fait une semaine qu'ils se voient régulièrement. Tous les autres sont au courant que l'histoire d'amour a pris fin entre elle et Michaël. Déjà, quelques filles rôdent autour de ce dernier, mais il semble non atteignable. Cette rupture le tue et le rend fou.

Dans le village, à bord de son bolide, on le voit souvent passer avec Marco à soixante milles à l'heure sur la rue Principale, freinant brutalement aux feux de signalisation, faisant crisser ses pneus, repartant de la même façon en marquant l'asphalte d'une longue traînée noirâtre. Les parents craignent même pour la sécurité de leurs enfants et les gens âgés surveillent les coins de rue avec grande fébrilité, anticipant son apparition éventuelle. On rapporte son comportement à Sophie comme si elle était en mesure d'y changer quoi que ce soit. On dit qu'il n'est plus le même depuis quelque temps. Sophie le pense également, mais n'attribue pas seulement cet état de fait à leur simple rupture. Elle connaît des choses que les habitants du village ne connaissent pas : les histoires de Michaël à propos des lianes qui se meuvent et attrapent les pauvres innocents par les chevilles. Elle est la seule à qui il a osé raconter cela. Même Marco n'en sait rien. Michaël a trop peur d'être pris pour un fou et ridiculisé sur la place publique. Plutôt, il vit dans son monde à lui, comme un schizophrène, boit de la bière, roule à tombeau ouvert et sème la terreur sur son passage.

Gino passe la main sur l'écorce du vieux chêne à l'endroit où une récente entaille a été faite. Il reconnaît les initiales de Michaël. Le cœur accroché au sien est vide.

– C'est ton cœur, Sophie ?

– Oui, répond la jeune fille qui se lève et s'approche de lui. (Elle lui prend la taille, il sourit et ajoute :)

– Pourquoi n'as-tu pas mis tes initiales ?

– Parce que je ne le pouvais pas. Je ne le savais pas encore à ce moment-là, mais je n'avais plus de sentiments pour Michaël.

– C'est triste, tu ne trouves pas ?

Ils constatent tous les deux qu'il est triste en effet de voir ces deux cœurs enlacés dont l'un porte des initiales et l'autre pas. Sophie songe au chagrin de Michaël et au grand vide qu'il doit y avoir dans son cœur.

– Je souhaite qu'il rencontre une autre fille le plus tôt possible, annonce-t-elle. Michaël est devenu fou. As-tu remarqué ?

– Tout le monde l'a remarqué. On dirait qu'il est sous l'emprise d'une force dévastatrice.

– Une possession ?

– J'ose à peine le formuler. Il n'est plus le même depuis quelques semaines. Il terrorise tout le village. Si ça continue, il va arriver malheur.

– Ne parle pas comme ça, mon ange, dit Sophie émue en se collant à lui. Rappelle-toi ce qu'il nous a dit ici même avant de partir : il a dit qu'on le paierait très cher. J'ai peur de ce qu'il peut faire. Il est si imprévisible.

Sophie a tout raconté à son nouvel amoureux au sujet de cette histoire de fou avec Nathalie et Manon, ce qui l'a éclairé davantage sur la nature perverse du personnage.

Tout à coup, des cris de détresse leur arrivent aux oreilles, des cris qui viennent de la rivière. Précisément à l'endroit où Michaël disait avoir été piégé par une liane, l'un des garçons de la bande, Jean-Philippe, est coincé au fond de l'eau et n'arrive plus à remonter. Les filles sont debout sur les rochers et attendent qu'il réapparaisse avec Sébastien, qui a plongé pour lui venir en aide. Sous l'eau, Jean-Philippe s'est pris le pied entre deux grosses roches et son ami tente désespérément de l'arracher à ce piège. Jean-Philippe, qui se débat depuis un bon bout de temps, n'a plus d'air dans les poumons et sent sa dernière heure arrivée, quand l'autre garçon le libère *in extremis*. Enfin, ils remontent à la surface, mais jaillissant des profondeurs, une racine grosse comme le doigt, ondulante et rapide comme un serpent, s'allonge vers le haut, saisit Sébastien par le cou et le tire violemment jusqu'au fond. La victime se débat tant qu'elle peut sous l'eau, essayant d'insérer ses doigts sous le collier étroit qui se resserre autour de son cou. C'est comme si deux mains invisibles tiraient sur les deux bouts pour refermer la boucle toujours plus fort. En haut, on s'empresse de hisser Jean-Philippe sur la terre ferme. On s'aperçoit ensuite que Sébastien n'est pas remonté. C'est Gino qui plonge cette fois-ci pour constater assez vite que leur ami est inanimé. Il le remonte, lui pratique la respiration artificielle, mais c'est en vain, il est trop tard. On remarque l'anneau violacé à son cou.

– Quelqu'un l'a étranglé ! s'horrifie Céline, la blonde aux yeux verts.

– Il était seul sous l'eau ! rétorque Gino agenouillé près du macchabée.

C'est la consternation. Jean-Philippe est affligé de voir son ami, mort parce qu'il a voulu lui sauver la vie.

– Que lui est-il arrivé ? s'écrie celui-ci en crise.

– Il a dû s'accrocher et s'étrangler à une racine souterraine, suppose Carmen, l'amie de Sophie.

Les autres abondent en ce sens. Ils lèvent les yeux sur le chêne immense et éprouvent une répulsion à la pensée que ses racines puissent s'étendre ainsi dans la rivière et être un piège pour les baigneurs. Sophie a une autre version, mais elle se garde bien de la révéler. Michaël a raison d'agir ainsi.

— Pensez-vous à la même chose que moi ? demande subitement Céline.

Ils sont tous suspendus à ses lèvres.

— Et si les corps de Pauline et de Cédric étaient coincés dans le fond de la rivière ? Ils ont peut-être pris un bain de minuit le soir où ils sont venus ici.

— On les aurait vus aujourd'hui. Tout le monde a plongé, fait observer Gino.

— Le courant les a peut-être charriés en aval, d'argumenter encore Céline.

— On les aurait retrouvés, tranche Sophie, qui en a assez de ces suppositions. Les policiers ont ratissé tout le territoire, vous ne le savez pas encore !

Elle ne peut cacher son irritation et retourne à l'ombre du chêne. Il faut avertir les autorités pour qu'on vienne chercher le corps de Sébastien. C'est Jean-Philippe et son ami Stéphane qui s'en chargent. Tous les suivent d'un regard solidaire jusqu'au sous-bois où ils disparaissent de leur vue. La vieille Chevrolet de Stéphane attend à l'orée du bois.

Sophie joint ses mains près du tronc de l'arbre et prie le ciel. Il se passe des choses étranges qui commencent à l'énerver vraiment. Gino vient la retrouver pour l'enlacer. Pendant qu'elle se repose sur son épaule, elle voit tomber une feuille qui s'écrase sur le sol derrière lui. Aussitôt, un vison noir et lustré passe en coup de vent et ramasse la feuille. Il disparaît rapidement avec son butin. Elle fait la moue, n'y voyant pas là matière à questionnements ; elle se détache de son ami et soupire à grands coups. « Pauvre Sébastien », murmure Gino qui regarde ses amis affligés autour du corps du jeune garçon de seize ans, allongé près de la rivière.

❖ ❖ ❖

Bien à l'abri des rayons du soleil cuisant, Lyne et Dominique sont installés sous la véranda et s'abreuvent à petites doses d'un verre de jus de pamplemousse rose très frais. Évidemment, sa cabane ne jouit pas du service d'Hydro-Québec, mais il s'est organisé autrement en utilisant le propane. Lyne lui demande ce qui l'a poussé à venir s'isoler dans un coin aussi perdu. « Le chagrin, ma fille, lui répond-il, un chagrin immense que personne ne pouvait apaiser. Seul l'isolement m'apportait le repos de l'esprit. Tu sais, quand on perd la personne la plus chère au monde, on n'a plus de raison de vivre, et le fait de se retirer du monde signifie souvent qu'on accepte de mourir à cette vie sociale qu'on ne veut plus supporter sans la présence de l'autre. Tu comprends ? Je ne parle pas de suicide ou de dépression, comme le docteur l'a fait croire à ma mère au moment où je suis parti de la maison. Pauvre maman, elle pleurait à chaque fois qu'elle venait me rendre visite. Est-ce que c'est ma retraite qui l'a tuée à l'âge de cinquante-deux ans d'une crise de cœur ? Je ne sais pas. Papa aussi n'a pas eu de chance. Il a été heurté par un train de marchandises à cinquante-cinq ans, quatre mois après le départ de maman. On m'attribua la responsabilité de leur mort prématurée, disant qu'ils avaient l'esprit continuellement torturé depuis que je les avais abandonnés. »

Dans sa petite chaise berçante, qui craque un peu, le vieil homme est peiné en se remémorant tout ça. Lyne, qui est assise sur une chaise droite près de lui, est triste aussi et compatissante. Elle comprend que cela n'a pas dû être facile pour lui de traverser toutes ces épreuves. La culpabilité doit l'avoir tenaillé continuellement.

– Comment faisiez-vous pour tenir le coup ? Ça ne vous a jamais tenté de retourner chez vous ? Après un certain temps...

– Bien sûr. Mais je n'arrivais pas à m'y résoudre. Je crois que les gens avaient raison : j'étais devenu sauvage. Après dix ans de réclusion, j'aurais eu trop d'efforts à faire pour me réadapter. On m'aurait regardé de travers et les femmes se seraient tenues loin de moi. La majorité du monde croit que j'ai tué Catherine. Chère Catherine, comment aurais-je pu la laisser toute seule ici ?

Un sourire béat se dessine sur ses lèvres.

— Pourquoi dites-vous cela ? l'interroge la jeune fille, qui veut savoir si les gens disent vrai lorsqu'ils prétendent que le vieux entretient un rapport surnaturel avec l'esprit de sa chère disparue.

— Catherine ne m'a jamais quitté, petite, lui confie-t-il sans gêne. Elle est là, précise-t-il en posant sa vieille main sur sa poitrine, dans mon cœur, dans mon esprit et dans toutes les fibres de mon corps. Elle vit en moi. Il n'y a rien qui sépare les vivants des morts. Rien qui ne soit infranchissable. La mort physique est un passage. Il suffit de garder le contact avec les esprits qui ont traversé de l'autre côté. Il y a une façon de communiquer avec eux : c'est par le pouvoir de la volonté et de la foi. Catherine ne m'a jamais laissé seul. J'ai tout quitté pour être avec elle.

— Je suis désolée, mais je n'ai aucune expérience de ces choses et franchement, cela me fait peur. Cependant, je ne dis pas que vous divaguez, mais...

— Cela te dépasse ?

— Oui, beaucoup.

— Je souhaite que tu n'aies jamais à connaître ces choses, Lyne.

Celle-ci est surprise de l'entendre dire cela.

— Il y a un déchirement, explique-t-il, un prix à payer qui est très cher. Le rôle d'un être humain sur la terre n'est pas d'entretenir des rapports continus avec l'au-delà. C'est moralement incorrect. Ça, c'est la religion qui le dit. Personnellement, je crois que c'est un choix individuel. L'âme, dans la vie, n'a que la liberté ultime de choisir, et j'ai choisi cette avenue. Mais ce n'est pas la plus facile. Rester les deux pieds sur terre est beaucoup plus simple.

— C'est ce que je pense. Mais si un jour je tombe éperdument amoureuse d'un homme et qu'il meurt, je ne sais pas ce que je ferai. Peut-être que je repenserai à ce dont on parle aujourd'hui et que je répéterai le même scénario que vous.

— Cela se fera tout seul, ma fille. On ne court pas après ces choses. Elles viennent à nous.

Le sujet des esprits est clos. Lyne boit une gorgée et songe à toutes ces questions qu'elle souhaitait tant lui poser. Alors elle débute par la première : « Qui était Mario Langlois ? » Les yeux du vieil homme se durcissent, son front se plisse et sa pensée voyage à toute vitesse. Il l'observe étrangement et dit d'une voix solennelle :

– J'aime mieux ne pas parler de lui.

– Mon grand-père m'a dit que ce Mario était amoureux de Catherine. Il s'en souvient parfaitement. Il m'a même confié que vous l'aviez surpris en train de forcer cette dernière à l'embrasser. C'est vrai tout ça ?

Dominique a maintenant le regard torturé. Un sentiment qui broie son âme s'est réveillé en lui. L'image de l'odieux personnage se remet à vivre dans sa tête. Il revoit Mario Langlois à l'âge de vingt et un ans, bel homme, grand, cheveux noirs laqués, de grands yeux noisette teintés de mystère, charmeur invétéré, mais très jaloux. Il se remémore une scène en particulier où Catherine a eu du mal à se débarrasser de lui alors qu'il voulait danser avec elle dans un bal. Les grandes valses de Strauss jouaient ce soir-là et chacun avait sa partenaire. Mario était seul, car il n'en voulait qu'une à son bras et c'était Catherine. Mais celle-ci commençait déjà à s'intéresser à Dominique et tous les deux échangeaient des regards entendus d'un bout à l'autre de la salle où tournoyaient les couples dans leurs plus beaux habits. Mario est arrivé derrière elle, lui a passé la main à la taille et l'a invitée à danser. Elle a refusé et il s'est offusqué ; il l'a entraînée de force sur le plancher de danse et lui a intimé l'ordre de cesser de se rebiffer de la sorte et d'accéder à ses attentes. Ils ont fait trois tours et Catherine l'a repoussé violemment. Il l'a rattrapée par le bras, elle s'est retournée et l'a griffé sur la joue. Le sang a coulé ; il a sorti un mouchoir et l'a menacée du regard tandis qu'elle allait à la rencontre de Dominique, qui avait tout vu et qui venait la tirer de ce mauvais pas. Le baiser qu'il voulait lui voler à la fonderie était un acte de pure effronterie motivé par sa jalousie et l'abus d'alcool. Catherine allait épouser Dominique sous peu. Ce fut sa dernière tentative vis-à-vis d'elle.

– Vous semblez très loin, monsieur Lapierre, fait observer Lyne, qui a bien voulu respecter ces quelques secondes de silence où il s'était retiré.

– Oui, oui... bredouille-t-il. Je suis toujours là, petite. Je rêvassais.

– À de belles choses ?

– Pas tellement, non. Des choses qui ont tout gâché. Des choses laides, d'apparence banale, mais...

– Mais quoi ?

– Je ne peux pas t'en dire plus. Je suis désolé.

Elle le sent très torturé, nerveux, affligé. Que lui cache-t-il ? Sans doute l'essentiel de tout ce mystère qui entoure la mort de Catherine et qui fait jaser et supposer depuis plus d'un demi-siècle.

– Qui l'a tuée ? lance bravement la jeune fille.

– Pardon ?

– C'est vous qui l'avez tuée ?

Elle veut le provoquer.

– Jamais de la vie ! Comment peux-tu penser une telle chose ? Je croyais que la petite-fille de François Francœur...

– C'est une blague de mauvais goût, s'empresse de rectifier Lyne, qui ne veut surtout pas se le mettre à dos.

Le vieux se calme et soupire à grands coups. « Cette petite est culottée », songe-t-il.

– Ce n'est pas tout le monde qui blague avec ça, mon enfant. J'en connais qui prient pour me voir pourrir au fond d'un cachot ou me balancer au bout d'une corde. Avec toutes ces sinistres projections que les gens du village m'envoient depuis que je vis ici, si le mauvais sort avait eu la moindre emprise sur moi, je t'assure qu'il y a longtemps que je serais pendu à la branche d'un érable. On croyait que je mettrais fin à mes jours et on parlait de la chose en disant que si j'osais le faire, ce serait pathétique et regrettable. Mais je ne suis pas aussi fou qu'on le dit et je sais pertinemment que tout ce qu'ils souhaitaient hypocritement, c'était de me voir mort. L'hypocrisie des autres, ma fille, ça fait aussi partie du mauvais sort ! Et c'est encore pire que l'intention volontaire. Tu me comprends ?

– Tout à fait. Mais je trouve que votre vision des gens est très...

– Réaliste. Pour ne pas me laisser détruire par la mesquinerie des autres, j'ai été forcé d'étudier la nature humaine et je l'ai fait. J'ai commencé à m'intéresser à la lecture et j'ai tout compris. Du moins, ce que j'avais à comprendre. J'ai appris à connaître le cœur de l'homme, ses failles, son ignorance, son pouvoir subtile et destructeur dont il use souvent pour démolir, mais sans en avoir vraiment conscience. L'inconscience de l'homme... je pourrais t'en parler durant des heures.

– Comme vous êtes sage et profond, constate la jeune fille en posant sur lui de grands yeux pleins d'admiration.

– C'est la solitude qui fait ça. On ne renonce pas à tous les plaisirs de la vie sans en être récompensé. Un vrai fou n'aurait pas su s'élever et s'enrichir en choisissant de se retirer l'espace d'une vie, comme je l'ai fait. Un fou, seul dans la forêt, serait encore plus fou qu'il ne l'était au départ et fort probablement qu'il aurait fini par se pendre à un arbre. Il faut de la volonté, de la foi et... un brin de folie, je l'avoue, pour survivre à tout ça.

– Une saine folie, précise Lyne.

Le vieux opine du chef, sourit et boit une gorgée. Lyne n'en a pas terminé avec lui. Elle ne l'a pas encore mis en garde contre ceux qui veulent le rendre responsable de la mort de Pauline et de Cédric et n'a pas encore su qui a tué Catherine. Il faut dire qu'elle n'a pas été très habile jusqu'à maintenant dans ses approches, mais au moins, cela lui a permis de connaître mieux le personnage.

– Il y a des rumeurs qui circulent ces temps-ci à Jérico. Vous êtes encore sur la sellette.

– Raconte.

Il est très à l'affût, car il a remarqué en effet que les gens sont bizarres depuis quelques semaines. Chaque fois qu'il va au village pour s'approvisionner, on pose sur lui de drôles de regards, un peu comme jadis, quand on le soupçonnait fortement du meurtre de Catherine.

– Vous devez savoir qu'il y a deux jeunes qui sont disparus au village : Pauline Sarrasin et Cédric Dumont.

— Oui, je suis au courant.

— On croit à un double meurtre. Certains pensent qu'ils ont fait une fugue, mais selon les apparences, l'hypothèse du meurtre serait plus plausible.

— Et l'on croit que c'est moi, le vieux fou qui vit dans la montagne et qui a perdu la raison, qui les ai tués et enterrés. Peut-être même débités à la tronçonneuse ?

Mon Dieu ! Lyne est horrifiée. Elle-même avait imaginé ce funeste scénario. Aurait-elle vu juste ? Elle chasse cette pensée au plus vite et enchaîne :

— Veuve Chagnon clame votre culpabilité à tous vents.

— Amanda ? Amanda Lacombe, cette vieille bique frustrée !

— Pourquoi dites-vous cela ?

— Parce que c'est le cas. Elle a voulu me faire jeter en prison immédiatement quand Catherine est morte. Elle a tout fait pour faire croire au monde que j'étais le meurtrier. Sais-tu pourquoi elle a agi de la sorte ? Le sais-tu ?

Lyne le sent très fâché.

— Non, je ne le sais pas. Je sais juste qu'elle m'exaspère.

— J'imagine ! Je vais t'expliquer pourquoi elle voulait me faire porter le chapeau pour le meurtre de Catherine. C'est parce que son cher et tendre époux, Frédéric Chagnon, le pire coureur de jupons de toute la région, avait aussi des vues sur Catherine, celle que j'allais épouser. Amanda a surpris son mari quelques fois avec d'autres femmes et un beau jour, elle l'a vu faire des avances à Catherine, des avances que cette dernière s'empressa de repousser, il va sans dire. Mais Amanda a imaginé qu'ils se voyaient régulièrement de façon clandestine et s'est mis dans la tête qu'il était épris d'elle passionnément et...

— Qu'il l'a tuée pour se venger de l'amour qu'elle lui refusait.

— Exactement.

— Et elle a voulu vous faire incriminer à sa place. Grand-père avait raison, il disait la même chose que vous.

— François et moi connaissions la vie que Frédéric Chagnon faisait endurer à sa femme.

— Ce n'est pas Frédéric qui a tué Catherine, ose affirmer la petite.

— Non, répond le vieil homme laconiquement.

Lyne a le sentiment qu'il connaît le nom du meurtrier, qu'il ne peut pas le dire et qu'elle n'en saura jamais rien même si elle passait le reste de l'année avec lui à le titiller. Cependant, elle revient à la charge au sujet des deux disparus et l'enjoint à être vigilant, car d'après elle, les autorités pourraient lui rendre une petite visite officielle bientôt, histoire de le questionner sur son emploi du temps le soir où les jeunes auraient été agressés près du chêne. Dominique la remercie de sa sollicitude.

— Une dernière chose, dit-elle en déposant son verre vide sur le plancher.

— Quoi ?

— Grand-père dit que Mario Langlois ne s'est pas enfui, mais qu'il a été tué. Qu'en pensez-vous ?

Dominique étire le bras, ramasse le verre, se lève et ouvre la porte de la cabane. Il se tourne vers Lyne, soupire de lassitude et conclut en disant : « Il faut que j'aille débiter mon arbre. Merci de ta visite. » Et il claque la porte à la face de Lyne, qui n'a d'autre choix que de s'en aller.

❖   ❖   ❖

UNE fois de plus, c'est la consternation au village, l'affliction totale : encore une victime. Sébastien Lamoureux était encore un adolescent. Ses pauvres parents sont défaits et ont du mal à comprendre de quelle manière leur enfant a pu se faire piéger par une simple racine au fond de l'eau. Les autorités policières sont sur place, à la rivière, là où le terrible événement a eu lieu. Sophie, Gino et Jean-Philippe sont là aussi. Deux des trois agents présents ont enfilé une tenue pour la baignade. Ils sont debout sur le rocher et s'apprêtent à plonger. Le troisième policier, le chef, est resté près du rivage avec les jeunes et attend que ses collègues plongent et remontent avec des indications.

Les deux grands hommes, au torse velu et bombé, se lancent à l'eau et disparaissent dans le bassin profond. L'après-midi tire à sa fin. L'eau est chaude et le soleil darde encore ses rayons dans la rivière, qui miroite comme un bijou, un bijou dont on ne pourrait se douter de la face cachée. Sophie a quelques appréhensions. Sébastien n'est plus là malheureusement pour le dire, mais elle est portée à croire qu'il y a quelque chose d'innommable qui l'a étouffé au fond de l'eau. Ces marques à son cou sont les mêmes que celles à la cheville de Michaël. Ces maudites lianes qui se meuvent de façon inexplicable existeraient-elles vraiment ? Voilà qu'elle divague, pense-t-elle, se serrant contre Gino qui a les yeux rivés sur les bulles d'air qui remontent à la surface. Au moins, ils sont toujours vivants. Jean-Philippe a désormais cette rivière en horreur. Les plongeurs ont peine à garder les yeux ouverts dans cette eau trouble et cherchent à tâtons ladite racine qui aurait pu être la cause du décès de Sébastien. L'un des deux hommes entrevoit quelque chose d'allongé sur les bords du lit de la rivière, une sorte de longue tige qui ondule au gré du courant. Cette chose a la grosseur d'un doigt et mesure un bon mètre de long. Il l'agrippe fermement et tire dessus pour tester sa solidité. Elle résiste. Il remonte pour aspirer un bon coup et redescend. Son coéquipier fait de même et constate avec lui les risques de danger qu'une liane, comme celle qu'ils ont sous les yeux, peut entraîner. Ils refont surface et montent sur le rocher.

– Nous savons ce qui l'a tué, annonce l'agent Miron, qui lisse ses cheveux bruns.

– Oui, renchérit l'autre, l'agent Taillefer. C'est une liane longue comme ça, précise le jeune homme qui place ses mains à hauteur d'épaule, laissant un mètre entre elles.

On entend gronder un moteur à l'orée du bois.

– Une liane ? intervient Sophie, qui ne peut retenir son émotion.

– Oui, mademoiselle, une liane, une racine qui vient probablement de ce vieil arbre, dit Taillefer en désignant le chêne.

– Le jeune garçon a dû s'enrouler autour de cette racine, suppose Miron.

Bilodeau, celui qui est resté sur les berges, note tout ce qu'ils disent.

– C'est un accident, constate Taillefer, appuyé de son collègue.

– Ce n'est pas un accident ! proclame une voix sortie de nulle part.

Ils voient Michaël jaillir du sous-bois, l'air hagard. Marco marche derrière lui.

– Que dis-tu ? l'interroge aussitôt Bilodeau.

– Je dis que ce n'est pas un accident, répète Michaël, qui s'arrête à distance raisonnable d'eux, jetant un regard entendu à son ex-petite amie.

Celle-ci ne peut supporter la manière dont il la regarde et fixe son attention sur Bilodeau, le moustachu bedonnant et grisonnant, qui ajoute, inquisiteur :

– Qu'entends-tu par là, Michaël ? Serais-tu en train de nous dire que quelqu'un l'a étranglé sous l'eau ?

Michaël toise Gino au passage et porte à nouveau son regard sur Sophie, qui fixe maintenant la cime tordue d'une épinette.

– Ce n'est pas une intervention humaine.

– Un animal ?

– Non plus.

– Précise !

– Sophie le sait aussi bien que moi...

– C'est faux ! Je ne sais rien ! riposte fermement la jeune fille, qui refuse d'être complice d'une telle absurdité.

– Sophie, lui dit le policier d'un ton paternaliste, raconte-nous ce que tu sais, c'est très important. La moindre chose peut nous aider à comprendre. Qui sait, peut-être que le mystère qui entoure la disparition des deux jeunes s'éclaircira du même coup, à la lumière de tes informations.

– Je n'ai aucune information à vous fournir, affirme-t-elle en jetant un œil mauvais à Michaël, qui affiche un drôle d'air.

« Où a-t-il passé pour l'amour du ciel ? » songe Sophie, qui laisse son regard glisser jusqu'à Marco, son chaperon, qui se tient en retrait, pas très loin, dans la limite du périmètre ombragé du vieux chêne.

– C'est lui qui divague, ajoute-t-elle en montrant Michaël du doigt.

– Parle, Michaël ! lui ordonne le policier, qui a hâte de savoir de quoi il en retourne.

Sophie remarque que Michaël s'est fait soigner pour son nez. Des ecchymoses sont encore apparentes sur son arête. Il se gratte la tête, regarde le sol qu'il frotte du pied et réfléchit très vite. Il ne peut pas leur avouer ça. Sophie niera tout. D'ailleurs, c'est vrai qu'elle n'a jamais rien vu. Il est le seul témoin et la seule personne qui ait survécu à une attaque de lianes. Il en vient à penser que Pauline et Cédric ont dû être tués aussi par ces maudites lianes.

– Je n'ai rien à vous dire, répond-il enfin.

– Pourquoi contester ce que mes collègues ont dit d'abord ?

– Ils ont sûrement raison. Sébastien s'est accroché dans une racine et n'a pas pu s'en dépêtrer. Avec le courant...

Les deux autres policiers reviennent sur les berges et se rhabillent. Bilodeau n'est pas satisfait. Michaël a l'air louche. Il lui demande encore :

— Si tu sais quelque chose, Michaël, il faut nous le dire. Peu importe que cela ne soit qu'une hypothèse. Il faut prendre chaque élément et l'analyser.

— Non, oubliez ce que je vous ai dit, conclut le jeune homme en se détournant.

Il étire le bras et prend la cigarette que Marco lui tend, la coince nerveusement entre ses lèvres et l'allume avec celle de son ami. Il respire une bonne bouffée et se relaxe dans une longue expiration. Sophie et Gino l'observent, consternés de voir qu'il a commencé à fumer en plus de semer la terreur dans le village. À ce sujet, Bilodeau en profite pour le sermonner et l'avertir que s'il recevait une autre plainte des citoyens à son sujet, il risquait une suspension de son permis, une saisie de son véhicule et une lourde amende. Faute de quoi, ce serait un séjour en prison.

Jean-Philippe lutte pour ne pas s'effondrer en larmes. Il n'arrive pas à se chasser de la tête que c'est lui qui aurait dû mourir sous l'eau, pas son ami. Il tente de cacher son chagrin et s'approche de Gino pour lui confier tout bas :

— Il m'a remonté à la surface.

— Je te demande pardon ?

— Sébastien ne peut pas s'être accroché à une racine, il m'a remonté jusqu'en haut. Vous ne vous en souvenez pas ? Moi je m'en souviens. C'est flou, mais je m'en souviens.

— Il a eu un malaise et a coulé à pic, en déduit alors Gino, qui cherche l'assentiment dans les yeux de sa copine.

Cette dernière préfère ne pas se prononcer. Jean-Philippe abdique. De toutes façons, le rapport dira que c'est un accident, mais il en doute. Finalement, tout le monde s'en va, sauf Michaël et Marco qui finissent de fumer leur cigarette devant la rivière, assis sur des pierres. Michaël a l'air pensif, anxieux. Son ami lui en passe la remarque, mais il prétend que tout va bien, qu'il contrôle parfaitement la situation.

– Quelle situation ? insiste Marco, le grand mince aux allures gamines, qui pose sur lui ses grands yeux inquisiteurs. C'est à propos d'elle ? ajoute-t-il.

– De Sophie ?

– Oui.

– Ils ne perdent rien pour attendre. J'aurai ma revanche. Je ne sais pas quand, mais je l'aurai. Avec les flics qu'il y avait ici, ce n'était pas le temps de régler des comptes. Déjà qu'ils m'ont dans le collimateur depuis quelque temps.

– Alors pourquoi es-tu si anxieux, silencieux ? Ça ne te ressemble pas. On dirait que tu as peur de quelque chose.

– Moi, peur ! Tu veux rire, vieux !

– Ça m'étonne aussi, mais c'est ce que je lis dans tes yeux. Tu crains quelque chose. Veux-tu m'en parler ? Je suis ton ami, tu peux me faire confiance.

Michaël balaie la rivière d'un regard vif, revoit les scènes hallucinantes qu'il y a vues, se remémore l'instant où il s'est fait attraper par la liane sous l'eau et tremble en tirant sur la dernière bouffée de sa cigarette, qu'il envoie planer dans le courant, d'une pichenette. Marco pourrait-il comprendre ? Sophie ne l'a pas cru, en apparence, mais lui, le croirait-il ? Leur amitié est-elle assez forte ?

– D'accord, je vais te raconter, dit-il en passant sa main fébrilement dans ses cheveux noirs, l'œil inquiet. Tout a commencé ici même, sous le chêne. J'ai été agressé par une chose surnaturelle.

– Surnaturelle ?

– Une liane... une racine, appelle ça comme tu veux. Elle a surgi de la terre et s'est enroulée autour de ma cheville. Elle était toute menue, mais solide. Elle m'a fait trébucher, puis s'est rétractée de façon hallucinante dans le sol. J'ai cru que je perdais la tête.

Le conteur parle sans regarder son interlocuteur, fixant son attention sur les diamants que fait poindre le soleil au-dessus de l'eau en mouvance. Marco scrute son profil avec insistance, croyant à un canular, mais n'ose l'interrompre.

– La deuxième attaque s'est produite sous l'eau, ici même dans la rivière, là où Sébastien est mort étranglé. Je l'ai dit aux flics tout à l'heure : il ne s'est pas enroulé malencontreusement dans une racine, c'est elle qui l'a saisi au cou et étouffé. Il m'est arrivé la même chose voilà une semaine. J'ai plongé ici et une liane très longue a surgi du fond de la rivière et est venue me prendre par la cheville pour me descendre jusqu'en bas. Si Sophie n'avait pas été là pour venir à ma rescousse, je me serais noyé. Lorsqu'elle a plongé, la racine m'a relâché et j'ai remonté. Sophie n'a rien vu, et elle n'a rien cru quand je lui ai tout raconté. C'est comme si j'étais le seul à voir ce phénomène. Des fois, je pense que je souffre de schizophrénie ou d'un sale truc du genre. Est-ce que tu me crois ?

Il se tourne prestement vers son ami, qui n'ose plus proférer un son, ne sachant que penser.

– Une liane vivante ? laisse tomber ce dernier, hébété.

– Vivante, c'est le bon mot. Vivante et meurtrière. Je ne sais pas ce qu'elle me veut, mais j'ai l'horrible sentiment qu'un jour, elle aura ma peau. D'ailleurs, je commence à me sentir mal ici. Si on partait ?

– Attends ! Raconte-moi encore.

– Te raconter quoi ? Je t'ai tout dit.

– Prouve-moi que tu me dis la vérité.

– Comment veux-tu que je te le prouve ? Il n'y a jamais de témoin lorsque cela se produit. Tu comprends, je suis sa victime, sa cible, sa proie. Tant qu'elle ne m'aura pas eu, elle me traquera.

Michaël fait ce sinistre constat et se lève précipitamment. Il ne peut plus rester assis devant cette damnée rivière dans laquelle vivent des créatures issues de ses pires cauchemars. Marco se lève aussi, tourne le dos à la rivière et lui dit en le voyant aller vers le sous-bois : « Tu devrais bien avoir des marques à la cheville... ahhhhhh ! » s'écrie le jeune homme qui, épouvanté, voit un énorme tentacule s'enrouler autour de sa taille. Michaël se retourne et assiste à une scène abominable : la chose venue du bassin d'eau ceinture solidement sa proie tel un boa géant, l'arrache littéralement du sol, le hisse très haut dans les airs et l'immobilise. « Michaëëëël ! » hurle le pauvre enfant, qui se trouve à plus de cinquante pieds du sol, estomaqué, au bord du vertige, prêt à rendre l'âme sur-le-champ tellement tout cela lui est insoutenable. Impuissant, paniqué, Michaël ne peut que crier : « Laisse-le tranquille, saleté de merde ! Tu voulais une preuve ! La voilà ! » continue de crier Michaël, qui se sent submergé par une émotion, presque de la folie mêlée d'effroi. L'énorme tentacule, tel un mât, ondule légèrement et semble réfléchir à ce qu'il compte faire de sa prise. Michaël a de fortes appréhensions. Il craint le pire pour son ami, qui continue de le supplier de lui venir en aide. Subitement, la liane géante se met à onduler de façon particulière, valsant tantôt sur la droite, tantôt sur la gauche, pareille à un bras énorme qui s'apprête à faire un lancer. Et puis, vlan ! Marco est propulsé à une vitesse fulgurante et va s'arrêter brutalement contre le tronc solide d'un gros érable sur l'autre rive de la rivière. Sa tête se fracasse sous l'impact et son corps retombe mollement sur les branches. Tout en bas, le spectateur impuissant reste bouche bée, lève les yeux, voit son ami pantelant à mi-hauteur du grand arbre, et attend quelques secondes dans l'espoir qu'il réagisse. En même temps, le tentacule géant continue de se mouvoir comme s'il voulait faire savoir à Michaël qu'il l'a à l'œil et qu'il va y passer bientôt. « Va-t'en, ordure ! » lui crie-t-il en lui lançant des cailloux dont l'un touche la cible. Décrivant des arabesques prestigieuses, l'affreuse chose se rétracte enfin et disparaît dans la rivière, suivie d'un gargouillis sinistre. Le jeune homme recule. Il craint qu'elle surgisse du sol et l'attrape. « Marco ! Marco ! » appelle-t-il, mais ses appels ne trouvent pas d'écho. Comment expliquer une telle chose ? Maintenant, les policiers n'auront pas le choix de le croire s'il raconte son histoire. Il file à toutes jambes jusqu'à sa voiture et quitte ces lieux infernaux en pleurant.

Lorsqu'il arrive au bureau de police en catastrophe et qu'il raconte tout du début à la fin, personne ne le croit. Il leur jure que son ami est mort juché dans un érable, et que lui-même a été victime des lianes. Ils décident d'aller constater sur place. Michaël est invité à monter à bord de la voiture des officiers. Arrivés à destination, ils se stationnent à la lisière du bois. Les trois mêmes agents, qui sont venus un peu plus tôt, traversent le sous-bois à grandes enjambées, tandis que Michaël suit derrière, un peu en retrait. Il a peur de ce qui peut survenir, du sort qui lui est réservé. Croiront-ils à son histoire ou l'accuseront-ils de meurtre avec complicité ? Pour hisser ce grand adolescent dans un arbre, une personne seule n'aurait pas pu agir. Miron accourt. Il vient d'apercevoir le corps du jeune homme gisant sur le bord de la rivière, là où ils avaient recueilli celui de Sébastien peu de temps avant. « Il est là », dit l'officier en s'approchant du corps. Michaël est mystifié une fois de plus. Il porte sa vue sur le grand érable de l'autre côté de la rivière et n'y comprend plus rien. Mais il trouve assez vite une explication : la liane géante a déplacé le corps pour faire croire à sa culpabilité. Quelle ingéniosité... Il y a de quoi le rendre fou.

— Pourquoi cet odieux mensonge ? l'admoneste Bilodeau.

— Il était là-haut, insiste le jeune homme en désignant l'érable. La liane l'a redescendu et posé ici sur le rivage. Elle veut me faire incriminer.

— On l'a frappé à la tête, constate Taillefer.

Miron le confirme.

— Tu vas nous suivre au poste, Michaël, décrète Bilodeau.

— Je n'ai rien fait ! clame l'interpellé. Allez voir sur le tronc de l'arbre, je suis sûr qu'il y a le sang de Marco !

— Ton histoire est complètement folle, Michaël, lui rétorque Bilodeau, qui commence à en avoir assez de cette plaisanterie de mauvais goût.

— Je ne l'ai pas tué ! Je vous le jure !

— Ou bien tu souffres réellement d'une maladie mentale, ou tu nous mènes en bateau.

— Je ne suis pas fou ! Je sais ce que je dis ! Il y a quelque chose au fond de l'eau. Tout vient de cet arbre maudit ! dit-il en désignant le vieux chêne.

Les policiers l'embarquent dans la voiture et une ambulance est dépêchée sur les lieux. On ramasse le corps. Ça fait deux morts dans la même journée. Michaël est soumis à un interrogatoire en règle. Il continue de clamer son innocence et d'accuser cette chose innommable du meurtre de son copain. Il n'inspire pas confiance, et sa conduite délinquante depuis quelque temps ne plaide pas en sa faveur. Il répète que Sophie connaît aussi la vérité et demande à ce qu'elle vienne appuyer ses dires. On la rejoint au téléphone, et elle leur dit qu'elle sera là dans une demi-heure.

❖ ❖ ❖

Il n'y a plus de mots pour décrire l'état d'abattement des résidants de Jérico. Ils sont tristes, bien sûr, mais aussi très confus. La nouvelle vient de sortir à la radio : deux morts en une journée. Apparemment, les deux décès n'ont aucun lien entre eux, l'un étant accidentel et l'autre n'ayant pas encore de cause officiellement déterminée. Toutefois, on sait que la jeune victime a été frappée à la tête avec force. On déclare que Michaël Désormeaux est sous interrogatoire, qu'il sait de quelle façon son ami a été tué, mais qu'on préfère pousser plus loin l'investigation, car la version qu'il donne de l'affaire est du domaine de l'irréel.

❖ ❖ ❖

Veuve Chagnon n'en croit pas ses oreilles tandis qu'au salon, elle s'affaisse lourdement dans son fauteuil à bascule. Un autre meurtre ! Serait-ce encore l'œuvre de Dominique ? Michaël connaît la vérité. Si c'est ce vieux sadique qui a frappé une fois de plus, le jeune le sait. Mais alors, pourquoi inventer une autre version, une version... irréelle ? La voilà bien mélangée. Serait-il le complice de Dominique Lapierre ? Si c'était le cas, le jeune Michaël aurait pu tuer également Pauline Sarrasin et Cédric Dumont. Elle se ravise aussitôt. Non, il faut que ce soit Dominique qui ait tué ces deux-là et personne d'autre ! C'est alors qu'elle se met à revivre l'époque où Catherine a été tuée, cette époque maudite où son jeune époux, Frédéric Chagnon, avait posé ses yeux pervers sur la regrettée. Les images lui reviennent nettement, comme si elles s'animaient devant elle sur le mur blanc du salon.

C'était un dimanche matin, un fort vent d'automne balayait la région, faisant tourbillonner les feuilles mortes qui pénétraient dans l'église par la porte où les paroissiens s'engouffraient pour la messe dominicale. Ce matin-là, Amanda entra toute seule dans l'église. Avant que débute la cérémonie, son époux discutait des récoltes tardives sur le perron avec d'autres agriculteurs. Amanda venait tout juste de se sortir d'une vilaine grippe qui l'avait clouée au lit pendant plusieurs jours. Comme la nuit avait été très fraîche, mais qu'on n'avait pas jugé nécessaire de chauffer l'église, elle se mit à frissonner en s'agenouillant sur son banc. Par crainte d'une rechute, elle décida de retourner à l'automobile pour récupérer une veste de laine qu'elle avait laissée sur le siège. Elle remonta l'allée centrale et croisa les hommes qui discutaient juste un peu plus tôt avec son mari. Ce dernier n'était pas encore arrivé. Elle sortit par la porte de gauche et le vit qui entrait par celle du centre. Son intuition de femme trompée la poussa à le suivre et elle ouvrit à son tour la grande porte principale. Quelle ne fut pas sa surprise d'apercevoir son cher époux en train de forcer Catherine Lachance à l'embrasser entre les deux portes. La pauvre fille essayait de le repousser d'une manière discrète, pour ne pas éveiller de soupçons, quand Amanda décocha une taloche derrière la tête de son maquereau de mari, ce qui fit voler son chapeau de feutre. Catherine posa sur elle des yeux remplis de gratitude et s'éclipsa derrière la porte battante. Amanda rentra à sa suite la tête haute. Son époux indigne arriva presque aussitôt par derrière, chapeau sous le bras, replaçant quelques mèches de ses cheveux, riant sous cape.

❖ ❖ ❖

L'arrivée de Sophie vient dessiner un large sourire sur les lèvres de Michaël, assis dans le bureau des policiers, fatigué de répéter toujours la même histoire à ses inquisiteurs qui affichent un air dubitatif. On prie la jeune demoiselle de s'asseoir et Bilodeau lui demande d'emblée, ne cherchant pas à cacher son irritation :

– Que sais-tu au sujet de ces maudites lianes ?

– Rien ! lâche-t-elle aussitôt.

Michaël la supplie du regard.

— Michaël prétend que son ami Marco a été tué par une liane géante, commente le policier avec une pointe d'ironie dans les yeux.

Sophie joue avec ses doigts. Elle sent le regard de Michaël peser lourdement sur elle. Il est assis à sa droite et prie dans son for intérieur pour qu'elle amène un peu d'eau à son moulin. Elle déclare timidement, les yeux baissés :

— Michaël m'a parlé de ces lianes qui se meuvent... ces lianes qui, d'après lui, l'auraient agressé deux fois.

— Nous savons tout ça, déclare Bilodeau dans un soupir de lassitude. Nous savons aussi qu'il s'est passé une chose étrange dans la rivière la semaine dernière. Selon Michaël, lorsque tu lui as annoncé ton intention de rompre avec lui, la rivière a été submergée de bouts de lianes qui se dressaient et se tortillaient dans le courant comme des serpents. As-tu eu connaissance de cela ?

Les deux autres policiers, dont l'un note les propos, s'esclaffent. Bilodeau, le chef, bien campé derrière son bureau encombré de paperasse, leur lance un œil mauvais.

— Je ne sais rien de tout ça, déclare Sophie.

— Tu étais là, s'empresse de lui dire Michaël qui lui touche le bras. Tu as sûrement vu ce qui se passait. D'ailleurs, je t'ai tout raconté quand tu as remis les pieds sur la terre ferme.

— Et je me suis bouché les oreilles pour ne pas t'entendre, réplique-t-elle avec vivacité. Je ne suis plus capable de t'écouter répéter ces inepties. Tu perds la raison, Michaël. Va consulter un médecin, c'est urgent.

— Je ne suis pas fou ! proclame-t-il en se levant brusquement. Si vous en avez fini de votre interrogatoire, je m'en vais.

— Ce sera tout pour aujourd'hui, répond Bilodeau en se levant aussi.

Sophie les imite. Apparemment, son intervention à elle s'arrête là. « Non, reste assise, Sophie, la prie le chef de police. Michaël peut s'en aller, mais les choses ne sont pas classées », lui précise Bilodeau. En effet, ils continueront à le surveiller, et l'enquête suivra son cours afin de trouver d'autres éléments de preuves. Michaël leur répète avant de partir qu'il n'a rien inventé, qu'ils n'ont qu'à monter dans l'érable indiqué, car le sang de Marco y est sûrement, et que le corps de ce dernier doit porter une marque à la taille. Après son départ, Sophie leur confie que Michaël a toujours eu de drôles de comportements, qu'il est imprévisible, impulsif, manipulateur et très possessif. Elle ne leur parle pas de l'épisode avec Manon et Nathalie, mais soutient qu'il peut se montrer dangereux et irréfléchi. On lui demande, selon elle, pourquoi il inventerait cette histoire de lianes, et si c'est dans sa nature de se créer des mondes imaginaires. Elle leur répond qu'il est passionné de théâtre, d'histoires dramatiques, tragiques, d'amours torturées et impossibles, mais que tout cela tient de sa nature artistique et que c'est correct ainsi. Cependant, le fait qu'il se mette à inventer des histoires folles, comme celle des lianes vivantes, dépasse le cadre d'une attitude normale. Soit il souffre de schizophrénie et ne le sait pas, ou encore il a créé cette histoire invraisemblable de toutes pièces pour cacher une autre réalité bien plus abominable. Sophie s'étonne de sa propre question qui surgit spontanément :

— Vous croyez que c'est lui qui a tué Pauline et Cédric ?

— Nous n'en savons rien, chère enfant.

❖ ❖ ❖

L A visite inattendue de Lyne Francœur a fait rejaillir à nouveau d'affreux souvenirs dans la tête du vieux Dominique. Il est cinq heures de l'après-midi. Il termine tout juste le tronçonnage de son arbre, arrête la scie, passe un mouchoir sur son front luisant et s'assoit quelques instants sur une bille de bois. Il sait que tôt ou tard il lui faudra se décider à oser raconter toute la vérité sur cette sombre affaire, le mystère de la mort de Catherine, qui n'a jamais été élucidée. Sa fiancée est la seule à qui il parle de cet épisode déplorable lorsqu'il communique avec elle par l'esprit. Il sait de quoi retourne cette mission dont elle lui a parlé, et qui est cette entité errante qui sévit. Il sait tout, mais n'ose pas faire un geste. Il a trop peur des représailles. À son âge, a-t-il vraiment l'énergie pour affronter tout cela ?

Après le départ de Lyne, il est retourné dans son chantier à bord de sa camionnette. Stationné en retrait, Dominique dépose ses outils de travail dans un coffre à l'arrière du véhicule. Sa besogne est terminée pour aujourd'hui. Dans ce coffre de bois, spécialement conçu pour ranger son matériel, se trouvent d'abord une hache bien coupante, un sécateur, sa scie mécanique et bien des outils qui lui servent à réparer les bris du moteur de sa vieille guimbarde. On ne le voit pas souvent au garage à Jérico, isolement oblige. Tout le bois qu'il a coupé lui servira à se chauffer l'année suivante, mais en attendant, il lui reste à le fendre, une besogne bien ardue pour un homme de son âge. Il attendra que le temps soit plus frais. Mais il ne peut pas attendre trop longtemps, car si le bois se dessèche, il aura plus de misère à effectuer sa tâche. Fendre le bois à la hache n'est pas une sinécure, même pour un habitué. Il monte à bord de son véhicule et démarre. Le vieux moteur tourne rondement ; Dominique passe à la première vitesse et la camionnette bleue aux flancs égratignés se met à avancer doucement en se balançant dans le chemin cahoteux, comme une barque en eau agitée. Il parcourt à peine une dizaine de mètres que son moteur se met à tousser et le véhicule à avancer par à-coups. Que se passe-t-il ? Il croit que son vieux camion est en train de rendre l'âme. Le réservoir à essence est à demi plein. Il s'arrête et descend pour vérifier. Il ouvre le capot, jette un œil, touche ici et là et remonte pour faire un test. Le véhicule continue de pétasser, de tousser, et finalement, rend son dernier souffle. Tout s'arrête. Le vieux moteur a rendu l'âme. Dominique se retrouve à pied. Pour sortir de là et arriver à la route principale à pas d'homme, il faut compter une bonne heure. Il est trop fatigué pour entreprendre une trotte pareille aujourd'hui. Il choisit de retourner à sa cabane. Un bon repas et une bonne nuit de repos lui donneront les forces nécessaires pour faire tout ce chemin le lendemain matin.

Le trajet qui le sépare de sa cabane est le même qu'ils ont fait, Lyne et lui, un peu plus tôt. Tout en marchant d'un pas sûr, il songe à la fille de François Francœur et à ce qu'elle lui a raconté au sujet d'Amanda Chagnon et de ces autres qui aimeraient le voir incriminé pour les meurtres de la petite Sarrasin et du petit Dumont. Le lendemain, en allant au village, peut-être demandera-t-il à être conduit au poste de police de la ville pour soulager un peu sa conscience. Soudainement, il entend craquer les branches, tout près, dans la forêt. Il s'immobilise et tend l'oreille. Les secondes s'écoulent, et rien ne survient. Il reprend donc le pas. Un frisson lui parcourt l'échine, il accélère la cadence. Bien qu'il n'ait jamais craint les bêtes sauvages, voilà qu'étrangement, il sent une menace peser sur lui, comme si quelque chose le traquait à cet instant précis. La hache est dans le coffre. Il a envie de faire demi-tour pour aller la chercher, mais son instinct de survie lui dit qu'il est plus sage de continuer d'avancer, car la cabane n'est pas très loin de l'autre côté du tournant. D'ailleurs, pourquoi paniquer ? C'est sans doute un écureuil qui batifole. Les paroles apaisantes de Catherine lui reviennent en mémoire : « Détache-toi de ta peur. Ce ne sont que des subterfuges pour tirer tes énergies. » À cette pensée, le vieil homme ressent un calme ineffable envahir tout son être. Il avance dans le sentier comme sur un nuage. Ses anges sont à ses côtés et il ne risque plus rien. Mais l'épreuve ne fait que commencer.

Le craquement dans la forêt se fait entendre à nouveau, suivi d'un cri lugubre comme il n'en a jamais entendu, une sorte de râle guttural sorti de la gorge même d'un démon. Il veut s'arrêter, mais les anges le poussent à continuer d'avancer. En lui, la peur viscérale alterne avec une foi inébranlable. Ses cheveux se hérissent sur son crâne, mais en même temps, une prière se chante automatiquement dans son cœur, aussi apaisante qu'une berceuse fredonnée au chevet du lit. Il se sent porté par une force bienveillante qui connaît la peur qui l'habite et qui veut lui montrer à quel point un acte de foi est au-dessus du pouvoir maléfique. Cette chose, qui ne s'est pas encore montrée, marche à ses côtés à la lisière du sentier, sur sa gauche. Une haie de sapins et d'épinettes faisant écran, Dominique ne voit pas ce qui s'y terre, mais il entend nettement les longs soupirs sulfureux, les râles et les gargouillis démoniaques. « Heureusement qu'il fait encore jour », songe-t-il en serrant les fesses, pressant le pas. Il réalise qu'au tournant, la créature peut surgir sur lui. « Sainte Marie, mère de Dieu... » se met-il à réciter silencieusement. Comme si la créature pouvait lire sa pensée, celle-ci se fait plus méchante, bruyante, déchaînée. La forêt se met à trembler et des arbres commencent à tomber en travers du sentier. Dominique est cerné de partout et n'a qu'une préoccupation : éviter d'être écrasé. C'est une vraie épreuve olympique. Les arbres, petits et gros, se renversent lourdement devant et derrière lui. Il avance, recule, sursaute, s'écarte juste à temps pour éviter de justesse un tronc géant, fait quelques pas de course, s'arrête brusquement en voyant s'écraser un érable majestueux, des branches lui cinglent le visage... La prière continue de se réciter dans son cœur, qui ne peut s'empêcher de palpiter à toute vitesse. Mais bien vite, le calme revient. La créature abdique devant la témérité du vieux et de ses anges et repart en poussant un dernier cri. La forêt redevient silencieuse. Apaisé, victorieux, Dominique arrive à la cabane et remercie le ciel. Il imagine le visage rayonnant de Catherine qui le félicite pour sa bravoure. Il sera bientôt prêt pour sa mission ultime.

❖　❖　❖

L A nuit qui suit en est une d'épouvante. Près de la rivière Sacrée, là où trône le majestueux chêne, une tourmente indescriptible sévit. Des rafales de vent d'une violence inouïe malmènent la forêt tout entière qui craque, jetant à terre une quantité innombrable d'arbres, dont plusieurs tombent en travers de la rivière agitée. Bizarrement, ces forts vents sont concentrés dans le couloir que trace la rivière. Le grand chêne est secoué avec violence. Son tronc s'anime, tel un serpent qui ondule, et ses longues branches tordues, comme des bras géants, se balancent en tous sens, ce qui donne à l'ensemble des allures cauchemardesques. Le cliquetis des feuilles mêlé aux plaintes que pousse le vieux tronc ressemble à des gémissements humains, des soupirs languissants, mortifiés. À la surface de l'eau, une myriade de pointes grouillantes comme des vers forment un tapis qui couvre tout le bassin où l'on se baigne habituellement. Il y en a dix fois plus que le jour où Michaël les a aperçues en présence de Sophie. La forêt qui se meut en frottant ses branches les unes contre les autres, le frétillement des feuilles, le craquement des troncs qui se tordent, le sifflement du vent qui se faufile partout et le pétillement que produisent les bouts de lianes dans l'eau forment un froissement incessant. Ce déchaînement dure déjà depuis un bout de temps lorsque brusquement, comme si un être immense et maléfique en avait eu assez de souffler son haleine dévastatrice, le vent est aspiré et la forêt retombe dans son immobilité naturelle.

Personne n'a eu connaissance de ce phénomène surréaliste. Au matin, Dominique n'arrive pas à s'expliquer pourquoi la rivière charrie toutes ces branches tandis qu'il les regarde défiler près du rivage. Il se doute bien qu'un événement particulier s'est produit pendant la nuit, de l'autre côté de la montagne. Encore une chose qu'il ne peut pas interpréter raisonnablement. Il hoche la tête, pour signifier qu'il est dépassé une fois de plus, et s'en va prendre le sentier pour aller au village, comme il l'avait prévu la veille.

Gino retire son t-shirt fébrilement et ses chaussures, tandis que Sophie attache ses longs cheveux. La rivière est paisible en ce petit matin d'août. Des arbres sont renversés sur la rive, ce qui leur paraît étrange, mais ils ne sont pas là pour s'interroger sur ce phénomène. Ils sont venus ici poussés par une curiosité partagée, alors que Sophie a tout raconté à Gino au sujet des lianes. Même si elle n'y croit pas, elle veut en avoir le cœur net, et Gino aussi. Ce dernier ne désire qu'une chose : la seconder dans tout ce qu'elle juge nécessaire d'entreprendre, et tant pis si ce qu'elle veut faire semble farfelu.

— Je suis prête, déclare la jeune fille, toute fébrile, en respirant à grands coups.

— Tu es sûre qu'on ne risque rien ?

— Absolument. Je veux la preuve que Michaël déraisonne, dit-elle en avançant lentement dans l'eau fraîche. Tu as le couteau ?

— Il est là, répond son ami en montrant le canif dont la lame miroite au soleil.

— Allons-y !

Elle s'élance et plonge. Gino fait de même. Ils descendent jusqu'au fond de l'eau en quête de la fameuse racine dans laquelle Sébastien se serait supposément empêtré. La vase se soulève et embrouille leur vision, mais Sophie a capté assez tôt l'ondulation de ladite racine, juste avant qu'elle manque d'air et doive remonter. Ayant tous les deux refait surface, Sophie dit à Gino qu'elle a trouvé la racine, qu'ils vont replonger et qu'il n'a qu'à la suivre. Ils remplissent leurs poumons à bloc et redescendent. Elle se dirige tout droit sur la longue liane qu'elle voit aux abords du rivage, mouvante, ondulante comme une couleuvre. Peu s'en faut pour que Sophie soit prête à croire qu'elle bouge comme un être animé. Mais elle sait très bien que cela est impossible, que ce n'est que le courant qui l'agite ainsi. Elle nage jusqu'à elle et l'agrippe fermement. Songeant aux divagations de Michaël, elle éprouve de la pitié pour lui en constatant que cette simple racine n'a rien d'extraordinaire. Gino arrive avec le couteau. La texture de cette chose grouillante dans la main de la fille est poisseuse et douce à la fois, avec les radicelles qui la recouvrent. Le garçon étire le bras et pose la lame à sa base, au ras du sol où elle émerge. Il attrape la racine de la main gauche, et de l'autre, il coupe net. Ils remontent aussitôt, car ils sont à bout de souffle. Là-haut, Sophie, qui ramène le trophée, l'expédie sur la terre ferme. Mission accomplie pour ce qui est de la racine. À présent, il reste à grimper dans l'érable.

Ils montent sur les rochers, lissent leurs cheveux et observent l'érable en question, celui dans lequel, aux dires de Michaël, Marco aurait été projeté et se serait fracassé le crâne. Au poste de police, Michaël avait parlé du sang sur un arbre avant de partir. Sophie voulut en savoir plus et posa la question au chef de police qui lui raconta la version détaillée de cette affaire invraisemblable. Elle sait que cela est déraisonnable, et Gino aussi, mais elle tient à se rendre jusqu'au bout. « Fais-moi la courte échelle », dit-elle à Gino tandis qu'elle étire les bras pour saisir la branche la plus basse de l'arbre. En fait, ils ne peuvent pas jurer que cet érable est le bon, mais d'après les indications du policier, il y a de fortes chances pour que ce le soit. Sophie avait très bien compris que les policiers ne perdraient pas de temps à grimper aux arbres d'après les prétentions d'un gars qui hallucine. Ils croient sûrement qu'il se drogue. « Est-ce que tu l'attrapes ? » demande Gino, qui porte Sophie sur ses épaules. Heureusement qu'elle est pieds nus, il ne la savait pas si lourde. « Je l'ai », répond-elle en se hissant sur la grosse branche à la force de ses bras. Bien campée sur son perchoir, elle dit à Gino de l'attendre, qu'elle va inspecter le tronc minutieusement et qu'elle devra probablement monter plus haut, pour faire une recherche complète afin de conclure ce qu'ils savent déjà, c'est-à-dire qu'il n'y a rien à voir. Alors pourquoi le faire ? Sans doute est-elle en train d'attraper le virus de la folie de Michaël.

Pendant ce temps, sur l'autre rive, un liquide rouge coule de la blessure au bout de la longue racine. On dirait du sang se déversant dans la rivière en creusant une mince rigole. La liane, qui a la grosseur d'un doigt et la longueur de deux bras, se meut soudainement comme si elle agonisait. Le liquide s'écoule goutte à goutte et puis, plus rien.

« Je vais monter plus haut », annonce Sophie, qui semble très à l'aise de grimper à la manière d'un singe. Elle n'a pas peur du tout, trouve l'exercice dérisoire et se sent complètement stupide de scruter ainsi le tronc de cet arbre. Tout à coup, juchée sur une branche solide, à cinq ou six mètres du sol, effleurant l'écorce rêche d'une main tremblante, elle murmure en émoi : « C'est pas possible... » Gino, qui ne la quitte pas des yeux, l'aperçoit, figée, stupéfaite.

– Tu as trouvé quelque chose ? lui crie-t-il.

– Oui... répond-elle faiblement.

– Qu'est-ce que tu dis ? Je n'ai pas compris !

– Oui, j'ai trouvé quelque chose !

– Quoi ?

Elle ne répond pas tout de suite et fait l'inventaire de ce qu'elle a sous les yeux : une tache sombre sur le tronc, des mouches qui y sont agglutinées et... des cheveux blonds comme ceux de Marco. « Il y a du sang et des cheveux », s'entend-elle lui dire, horrifiée. Une peur subite s'empare d'elle. « Il faut que je redescende immédiatement ! » clame la pauvre fille prise de panique. Gino la voit redescendre à toute vitesse. « Attention de tomber, ma chérie. » C'est précisément ce qui arrive : son pied glisse sur une branche et elle n'a pas le réflexe de s'agripper, seulement celui de crier : « Au secours ! » Gino a juste le temps de lever les bras et de l'attraper pour amortir sa chute. Du coup, ils tombent tous les deux dans la rivière. Sous l'eau, Sophie panique davantage. Il lui apparaît enfin que tout ce que Michaël lui a raconté depuis le début à propos des lianes est monstrueusement vrai. Une traînée rougeâtre masque le lit de la rivière. La même substance que celle qui sortait du bout de la liane laissée sur le bord de l'eau s'échappe de façon soutenue de la coupure faite à la liane sous-marine. Les pieds des jeunes trempent dans l'eau souillée, mais ils n'ont pas le temps de s'en apercevoir, car ils ressortent du bassin aussi vite qu'ils y sont entrés.

Sur les rochers, le cœur battant, Sophie se jette dans les bras de Gino, pleure et répète qu'elle a vu le sang et les cheveux blonds là-haut. Il tente de la rassurer de son mieux et lui propose de quitter ces lieux sinistres. Elle accepte d'emblée, mais refuse catégoriquement de remettre les pieds dans l'eau pour retourner sur l'autre rive.

– Michaël n'a pas menti, déclare-t-elle, abasourdie par cette constatation. Pauvre Michaël, et moi qui ne l'ai pas cru.

– Chérie, ressaisis-toi. Tu sais bien que ce qu'il a raconté est invraisemblable. C'est du domaine de la démence. Les lianes ou les racines n'agissent pas comme il a dit. Elles n'attrapent pas les gens pour les étrangler ou les précipiter dans le vide. C'est fou.

– Mais alors, comment expliques-tu ce que j'ai vu là-haut ? demande-t-elle en pointant l'érable.

Gino lève les yeux sur le gros arbre branchu et formule :

– C'est une mise en scène de Michaël...

– Pourquoi ?

– Parce qu'il a perdu la raison, tout simplement.

C'est une explication plausible. La jeune fille se calme un peu et réfléchit. Michaël en serait-il arrivé à inventer de tels scénarios pour crier sa souffrance ? Leur rupture l'a peut-être fait basculer dans la folie pure. Tuer son meilleur ami de sang-froid et faire croire à l'intervention d'une force surnaturelle... Elle est dépassée. Il faut qu'elle parte au plus vite.

– Quittons ces lieux ! décide-t-elle en tirant son ami par la main, sautant sur la terre ferme.

– Et nos vêtements ? Nos chaussures ? dit le jeune homme obéissant, réalisant qu'elle a choisi de contourner la rivière sur cette rive pour traverser probablement en amont.

– Nous reviendrons les chercher par le sous-bois. Pour le moment, mon instinct me dit d'éviter ce bassin d'eau.

Ils enjambent les arbres renversés sans s'interroger plus avant et filent vers l'est.

Sitôt après leur départ, le bassin d'eau devient glauque et un grand remous s'y crée, comme si quelqu'un avait retiré l'énorme bouchon d'une baignoire. Au cœur du tourbillon géant se dresse lentement la pointe de la liane meurtrière, celle qui a tué Marco. Elle étire son bras puissant jusqu'au rivage, s'arrête devant la petite racine morte, pique sa pointe dans le sable sous son rejeton et le soulève, l'entourant affectueusement. De gauche à droite, elle se met à se balancer comme si elle berçait la pauvre petite chose desséchée, se lamentant silencieusement. Et elle repart avec son trésor précieux dans les eaux troubles.

❖ ❖ ❖

Dominique est arrivé au village vers les dix heures du matin. Au garage où il s'est rendu, il s'entretient dehors avec Justin, le jeune propriétaire qui essuie ses mains sur un chiffon. Ce dernier explique au vieux qu'il lui en coûterait davantage de remplacer le moteur de sa vieille camionnette plutôt que d'en acheter une autre usagée. Il lui propose de venir voir celles qu'il a à vendre. La rue Principale passe devant le garage et des gens déambulent sur le trottoir en ce matin radieux. Ceux qui reconnaissent le vieil ermite lui lancent des regards méchants. Dominique ne rêvait pas en disant qu'on l'accusait encore à tort et à travers. Qu'a-t-on à lui reprocher maintenant ? Lyne ne lui avait pas menti, c'est sans doute l'œuvre d'Amanda et de sa protégée, l'affligée Colombe Sarrasin. Ils avancent vers une camionnette Chevrolet bleu royal, à quatre roues motrices, au bas kilométrage et à la transmission manuelle. « Cette camionnette n'a que trois ans, monsieur Lapierre », lui dit Justin en faisant glisser un peu la fermeture éclair de sa longue salopette verte. Il fait si chaud que des gouttelettes perlent sur le torse frisé du jeune homme brun.

– Oui, c'est une belle voiture, constate Dominique en ouvrant la portière. Je peux faire tourner le moteur ?

– Évidemment. Montez, je reviens tout de suite.

Justin court chercher la clé à l'intérieur et revient au pas de course. « Merci », dit le vieux en prenant la clé qu'il glisse dans la fente appropriée. Il s'apprête à pomper les gaz.

– Non, intervient le garagiste, qui est resté dans l'ouverture de la portière. Tournez simplement la clé. C'est un moteur à injection automatique.

– Tu veux dire que le gaz s'injecte de lui-même ?

– Parfaitement.

– Et ça ne rate jamais ?

– Pas supposé.

– C'est merveilleux !

Tout excité, le vieil homme tourne la clé et le moteur se met à virer doucement. Pas de cliquetis ni de frottements suspects.

– Tu es sûr qu'il tourne toujours ? demande Dominique, qui prête l'oreille pour s'assurer qu'on entend le ronronnement.

– Rassurez-vous, il tourne.

– C'est fabul...

Ding ! ding ! ding ! ding ! résonne l'alarme de la portière.

– Qu'est-ce que c'est ? s'empresse de dire le vieux, qui se souvient d'avoir entendu ce bruit irritant dans la voiture de Lyne.

– C'est l'avertisseur qui sonne lorsque le moteur tourne et que la portière est ouverte.

– Comment fait-on pour arrêter ce vacarme ? demande Dominique qui en a le tournis.

– Fermez le contact ou la portière.

– Alors fermons la portière et montez à bord, jeune homme. On va faire un tour.

– Très bien. C'est vous le boss !

La plaque minéralogique utilisée pour les essais routiers pend à l'arrière du véhicule, coincée dans la fermeture du panneau. Tout est en règle et le joyeux conducteur salue au passage les badauds qui posent sur lui des regards interrogateurs : « Qu'est-ce que ce vieil ermite fait au volant de cette superbe camionnette qui étincelle sous les feux du soleil ? » Voyant leurs visages envieux, Dominique a le sentiment de prendre sur eux une revanche bien méritée, depuis le temps qu'on le traite comme un va-nu-pieds, un sauvage, un fou. La belle camionnette traverse toute la rue Principale, et le vieil homme ose demander à son sympathique accompagnateur :

– Est-ce que tu as une petite heure devant toi ?

– Pourquoi cela ?

– Je filerais jusqu'en ville. J'ai une question très importante à régler et ça ne peut plus attendre. Je ferais le plein du réservoir.

Dominique a décidé d'aller au poste de police pour plaider sa cause avant que les choses s'enveniment. Justin consulte sa montre. Il est tout juste dix heures vingt.

– D'accord, répond-il avec amabilité. Je vais avertir mes gars. Arrêtez-vous ici.

– Pourquoi donc ? dit le vieil homme qui concède et se range sur l'accotement.

Justin sort un téléphone cellulaire de sa poche et le lui montre en disant : « Je vais les appeler d'ici. » Il descend de voiture. Dominique le voit pianoter sur les touches et bientôt, il l'entend parler dans l'appareil. Selon toute évidence, il est en communication directe avec quelqu'un. Cette technologie dépasse l'entendement du vieux. Il sourit et s'émerveille comme un enfant qui apprend à marcher et à découvrir l'infinité du monde moderne. Justin rétracte l'antenne, remet le téléphone dans sa poche et réintègre sa place dans la camionnette. « Ça y est, on peut y aller. Ils vont pouvoir se passer de moi pour le reste de l'avant-midi. » Dominique repart doucement, encore sous le charme de cette nouvelle technologie à laquelle il ne haïrait peut-être pas être initié. Il demande timidement :

– Un téléphone comme celui-là, est-ce que ça peut capter de loin ?

– Vous voulez savoir s'il serait opérable dans la forêt où vous habitez ?

– Oui.

– Il faudrait faire un test.

– Comment ?

– En lançant un appel directement de votre cabane.

– Avec toute cette forêt autour ! de s'étonner le vieux. Tu crois que ça marcherait ?

– Comment le savoir si on ne l'essaie pas ?

Dominique n'ose pas le formuler, mais Justin devine à son silence qu'il souhaiterait faire ce test dès maintenant. Bon joueur, il lui dit : « Allons-y. On en aura le cœur net. » Justement, ils allaient sous peu arriver au chemin du Bras. Dominique le remercie chaudement et lui promet de faire l'acquisition d'un de ces gadgets si le test s'avère positif. Dans l'avenir, cela pourrait lui être très utile.

– Je pourrai te téléphoner, Justin, si j'ai un malaise ou quelque chose du genre ?

L'interpellé se met à rire et lui répond le plus gentiment du monde :

– Bien sûr, monsieur Lapierre, mais attendons de voir si la communication est possible là-bas.

– Tu as raison, abonde le conducteur, qui actionne le clignotant de droite.

Il vire et s'engage sur la route de terre battue. En chemin, ils discutent du prix d'une voiture comme celle-là. « Ce n'est pas donné », constate Dominique, mais il avoue qu'il est tombé sous le charme. Après quelques tergiversations, Justin lui dit qu'il laisserait partir la camionnette pour quinze mille dollars. Dominique accepte. Il faut dire que son prix initial était de dix-huit mille dollars. Le vieux est satisfait, car il sait qu'il fait une bonne affaire. Justin ne veut pas l'étrangler avec cette vente. Il aime bien ce vieil ermite, contrairement à la majorité des gens de la place, et tient à ce qu'il roule convenablement à bord d'une voiture et qu'il en fasse baver quelques-uns de jalousie.

Lorsqu'ils arrivent au bout du chemin, Dominique se rappelle subitement que le sentier est jonché d'arbres. Il ne sait plus quoi faire. Qu'en penserait Justin ? Comment lui expliquer une telle chose ? Le bras appuyé sur le bord de la fenêtre, se laissant mollement ballotter au gré des imperfections du chemin, le jeune homme remarque l'hésitation du conducteur, qui ralentit de plus en plus.

– Vous pouvez rouler plus vite que ça vous savez. Cette camionnette est spécialement conçue pour aller en forêt. Ce n'est pas quelques cailloux qui vont l'arrêter.

– Il y a des trous aussi... je voudrais pas...

– Appuyez sur le champignon. N'ayez pas peur, il y a une bonne suspension. Au pire, on embrayera les quatre roues motrices.

– Bien sûr... répond le vieil homme de façon niaise, qui ne sait plus comment se sortir de cette impasse. Finalement, je ne sais pas si c'est une bonne idée le téléphone, dit-il en se grattant la tête.

– Commençons par faire le test.

« C'est logique », pense Dominique.

– Tu as raison, dit le vieux en appuyant davantage sur l'accélérateur.

Il vient de décider qu'il se rendrait au bout de cette aventure. Il trouvera bien une explication. Justin remarque combien les arbres sont géants et comme la forêt est propre.

– C'est à vous tout ça ?

– Oui. Un cadeau de mon père.

– Eh bien, ça doit valoir une fortune ?

– J'imagine que oui. Tu sais, je bûche rien que pour me chauffer et me nourrir.

– Et pour vous acheter une camionnette, lui fait observer Justin, coquin.

– Pas vraiment. Au décès de mes parents, j'ai hérité d'une jolie somme dont je ne me suis jamais servi. La forêt m'a fourni tout ce dont j'avais besoin.

– Si je comprends bien, pour acquérir cette voiture, vous toucherez pour la première fois à l'héritage de vos parents ?

– Exactement. C'est maintenant que j'ai besoin de cette camionnette. J'ai du bois à ramasser. Justement, regarde ce qu'il y a là-bas.

Dominique pointe son index en direction des premiers arbres renversés qui apparaissent au-devant d'eux. « Mon Dieu ! C'est vous qui avez bûché tout ça ? » s'étonne Justin, qui constate, à mesure qu'ils approchent, qu'il y en a une multitude en travers du chemin. Il remarque aussi que certains ne sont même pas sciés, mais plutôt déracinés. La vieille camionnette bleue est juste devant eux. « Qu'est-ce que ça veut dire ? Une tornade ? » demande Justin. Ils s'immobilisent, ne pouvant pas aller plus loin. Un bouleau énorme est allongé de tout son long dans sa robe blanche, marquant le premier obstacle de cette incroyable barricade. Les deux hommes descendent de voiture. Justin veut inspecter le vieux moteur, mais Dominique l'en dissuade, prétextant qu'il a rendu l'âme. L'autre insiste en disant que d'une manière ou d'une autre, il faudra bien sortir cette vieille guimbarde de là et que si c'est sur son pouvoir, ce sera moins onéreux qu'un remorquage. Une fois de plus, Dominique trouve cela logique et accepte qu'il y jette un œil, mais pas maintenant. D'abord le test. Le vieux prend le pas et enjambe difficilement le bouleau, demandant à son compagnon de le suivre, en précisant que la cabane est de l'autre côté du tournant. Justin obéit et commence aussi la chevauchée. Il saute d'un arbre à l'autre et s'étonne de plus belle devant le désastre qu'il constate ; il questionne le vieux et tente de suivre ce dernier qui trouve vite le tour d'enjamber les troncs de façon aisée en s'assoyant dessus, en soulevant les jambes et en pivotant sur lui-même. « Dites-moi ce qui s'est passé », insiste Justin, qui sent la chaleur le cuire dans sa longue salopette. De temps à autre, un bout de branche s'accroche au bas de la jambe de son chaud survêtement et le fait trébucher. Il jure, tempête, se relève, mais Dominique ne se retourne même pas et fonce droit devant, comme s'il était devenu sourd ou qu'il n'était pas prêt à répondre à ses questions. La vieille peur se réveille en lui.

Tous ces arbres renversés, déracinés, entremêlés... une vraie désolation. Justin affirme d'une voix forte, pour que le vieil homme, qui a pris de l'avance sur lui, l'entende : « C'est une tornade qui a fait ça ! Ne me dites pas le contraire ! Vous ne voulez pas me répondre parce que ça vous fend le cœur de voir votre forêt dans cet état, mais je sais ce qu'une tornade peut faire. » Soudain, Justin se tait. Il réalise qu'une tornade n'aurait pas été aussi sélective dans le choix des arbres qu'elle aurait jetés à terre et qu'elle n'aurait pas épargné tout ce qu'il y a autour. Une tornade arrache tout sur son passage.

— Votre cabane est-elle encore debout ? lui demande-t-il en se faufilant entre les branches feuillues d'un peuplier.

— Tais-toi et suis-moi ! lui crie Dominique sans le regarder et sans s'arrêter. Je te raconterai tout quand on sera sortis de ce bourbier.

— D'accord !

❖ ❖ ❖

Le sous-bois ombragé est une oasis pour les deux jeunes qui viennent d'arriver de leur longue marche. Sophie s'assoit sur le sol en expirant bruyamment. Ses longs cheveux noirs attachés à l'arrière sont dans un bel état. Elle masse ses pauvres pieds écorchés. Gino reste debout et respire aussi à pleins poumons pour régulariser sa respiration. Leurs bicyclettes sont appuyées contre un arbre. Pendant tout le trajet, Sophie a marché devant et décidé de tout : la longueur du segment à parcourir sur l'autre rive, l'endroit où il fallait traverser la rivière et la vitesse du pas. Son jogging matinal lui fut bien utile vu les circonstances. Mais pourquoi se mettre dans un tel état ? Certes, Gino veut la seconder dans cette entreprise, mais n'y met-elle pas un peu trop de zèle ? Non, si l'histoire de Michaël était vraie. En d'autres mots, rien ne justifie une telle attitude. Il se penche pour arracher une feuille de fougère, qu'il fait tournoyer entre ses doigts, et lui dit :

— Sois franche, Sophie, dis-moi que tu ne crois pas ce qu'a raconté Michaël. Marco n'a pas été projeté dans cet arbre, tu es d'accord avec moi ?

De l'endroit où ils sont, on aperçoit l'érable au loin, de l'autre côté de la rivière.

– Je ne sais plus quoi penser, répond la jeune fille en défaisant ses cheveux. Si c'est une mise en scène, dis-moi pourquoi Michaël aurait fait ça.

– Je te l'ai déjà dit, il est malade, il perd la raison. Je crois que cela a commencé quand tu lui as annoncé que tu le quittais.

– Non, c'est arrivé avant. La première fois, c'était à la réunion des Nouveaux Artistes. Je te l'ai expliqué, tu te souviens ? Pauline et Cédric étaient absents, et cette journée-là, il jure avoir été attaqué par une liane. Nous n'étions pas encore en vue d'une séparation.

– Non, mais tu y songeais sérieusement.

– Oui, peut-être qu'il sentait venir les choses et que son cerveau a dérapé… je ne sais pas… c'est si compliqué le cerveau. Tu penses qu'on peut se créer un monde imaginaire aussi fou que celui de Michaël ? Tu crois aussi qu'en se réfugiant dans ce monde et en essayant d'y entraîner les autres, on peut apaiser sa douleur ?

– Peut-être, Sophie, je ne le sais pas. Je ne suis pas psychiatre ni psychologue, et toi non plus. J'imagine que certaines personnes peuvent basculer dans l'irrationnel pour fuir une réalité qui leur est insoutenable. C'est pathétique et pathologique.

– Il lui aurait fallu assommer de sang-froid son ami Marco, lui prélever des cheveux et du sang, puis grimper dans l'arbre pour appuyer son scénario.

– Sans doute avait-il aussi apporté une échelle.

– Ce qui signifie qu'il aurait prémédité tout ça ! s'horrifie la belle, qui se lève subitement, réalisant qu'ils se trompent sûrement. Ne disons plus rien, Gino, tu veux bien. On est en train d'échafauder des hypothèses, et c'est mal.

– Pourquoi ce serait mal ? Il doit bien y avoir une explication logique, Sophie. Le Michaël que tu as connu n'est pas celui qui existe aujourd'hui. Celui-ci se comporte comme un dément. Peut-être qu'il se drogue après tout. Cela expliquerait bien des choses.

Sophie n'ose plus rien dire. Elle tourne en rond et appréhende l'instant où ils iront récupérer leurs vêtements près du rivage. Dans son for intérieur, une petite voix, sans doute celle de l'intuition, lui assure que quelque chose d'immonde se cache dans cette rivière. Mais elle aime mieux ne rien formuler, car on dit que la pensée suivie de la parole crée toujours une action. De deux choses l'une : soit les lianes meurtrières se révèlent vraies et s'en prennent à eux, ou Gino en a assez de ses divagations et choisit de la quitter. « Allons chercher nos vêtements », dit-elle en délaissant l'ombre bénéfique pour plonger dans l'enveloppante chaleur du soleil. Son ami lui emboîte le pas. Ils marchent jusqu'à la rivière où ils enfilent leurs vêtements. Ils sont ravis de retrouver le confort de leurs bas et de leurs chaussures.

— Allons-nous-en, s'empresse de dire Gino en la prenant par la main.

— Attends, dit-elle brusquement en montrant le sol. Où est la racine ?

— La racine ?

— Celle qu'on a coupée sous l'eau. Où est-elle ?

Sophie est certaine de l'avoir vue tomber près de cette roche sur le bord du rivage. Ils ont beau chercher, ils ne trouvent rien. Le jeune homme constate qu'elle a disparu. « Quelqu'un l'a ramassée et rejetée à l'eau, fournit-il comme explication. Il y a plein de gens qui viennent ici pour flâner ou se baigner. Sans doute qu'il y a quelqu'un qui est venu pendant qu'on remontait la rivière. » La fille ne réplique pas ; elle sent monter un frisson le long de son échine et préfère tourner le dos au plus vite à cette rivière et entraîner son ami avec elle.

❖ ❖ ❖

Le test a réussi. Le contact a été possible de l'extérieur de la cabane du vieux Dominique au village. Justin a parlé à l'un de ses employés et Dominique aussi a jasé un peu dans le petit appareil pour vérifier son efficacité. Résultat : il veut acquérir non seulement la camionnette Chevrolet, mais un téléphone cellulaire également. Il demande à Justin s'il veut lui offrir celui-ci en prime avec l'achat de la voiture. La question étonne le jeune homme, qui reconnaît bien là le trait de caractère légendaire des Lapierre, soit l'art du marchandage. Ce genre de gadget coûte à peine cent dollars. « Je suis d'accord », consent Justin en refermant le téléphone. Ils sont debout devant la cabane, baignés de soleil.

— À une condition, ajoute le garagiste, vous me dites ce qui s'est réellement passé ici.

— Tu veux parler des arbres renversés ?

— Exactement.

Le vieux lui tourne le dos et scrute le sol en quête d'une inspiration. « Catherine, se demande-t-il en lui-même, que dois-je répondre ? »

— J'attends, monsieur Lapierre. Le téléphone est à vous si vous me racontez tout.

— Je sais, je sais ! rétorque le vieux qui agite la main, indécis.

— Comme ça semble critique. Y aurait-il un mystère là-dessous ?

La voix de Catherine arrive enfin, douce et rassurante : « Dis la vérité, Dominique. Elle te sauvera, te libérera. » « Dire la vérité, songe le vieux, est-ce raisonnable ? » Il entraîne son compagnon sous la véranda où ils s'assoient. Le regard insistant du jeune homme révèle qu'il attend la réponse du vieux.

— Pourquoi veux-tu savoir à tout prix ce qui s'est passé ?

— Parce que ce que j'ai vu est spectaculaire. Humainement, avec mes pauvres connaissances, je n'arrive pas à expliquer ce qui a bien pu causer une telle catastrophe. Je ne pense pas que ce soit l'œuvre d'une tornade ou de quoi que ce soit de l'ordre de la nature. Je crois que c'est autre chose et je veux vous l'entendre dire, sinon je me creuserai les méninges avec cette affaire et ça va me fatiguer inutilement. Vous savez ce que c'est quand on a une question qui nous chicote sans cesse ! Aussi, je garde le téléphone.

— Très bien, mon garçon, si tu veux savoir, je vais te le dire. Mais je te préviens, tu l'auras voulu. Tu me croiras ou non, c'est ton affaire. Je te raconte ce qui s'est réellement passé, mais je n'ai malheureusement rien pour le prouver. Tu me traiteras de fou, j'y suis habitué.

— Parlez, je vous écoute, l'encourage Justin d'une voix douce, conscient qu'il est difficile pour ce vieil homme de faire ces aveux.

— Crois-tu aux forces surnaturelles ?

— Oui et non... pourquoi ?

— Parce qu'elles existent vraiment. Les forces surnaturelles sont partout et elles sont très puissantes.

— Vous voulez dire que les dégâts dans le sentier sont l'œuvre d'une force surnaturelle ?

— Absolument.

— C'est impossible, voyons !

— Tu vois, je te l'avais dit que tu ne me croirais pas, que tu me prendrais pour un fou.

— Je n'ai pas dit ça ! Je dis simplement que c'est impossible qu'une force surnaturelle ait causé ce désastre.

— Si c'est impossible, selon toi, c'est que je divague. Tu vois, ça signifie que je délire, que je suis fou. Avoue !

— Non ! C'est juste que...

— Que tu ne peux pas concevoir que ces choses existent réellement ?

— C'est ça.

— C'est parce que tu n'y as jamais été confronté, mon gars. Tant mieux pour toi, d'ailleurs.

Justin essuie son front luisant du revers de la main. Il aimerait bien croire le vieux, mais il sent de fortes réticences en lui. Pourtant, il accepte d'entendre la suite. « Très bien, monsieur Lapierre, racontez-moi en détail ce qui s'est passé. » Alors le vieux Dominique s'exécute sans gêne et lui trace un portrait détaillé de l'épisode avec cette créature qui a saccagé sa forêt. Il lui parle des soupirs à la lisière du bois, des grognements caverneux, de la peur que lui-même a ressentie et de ses anges qui l'accompagnaient et qui priaient pour lui. Il ne néglige aucun détail et conclut en disant que la créature est partie en s'avouant vaincue par la force bienveillante qui marchait à ses côtés. Justin est abasourdi, muet. Tout a l'air si vrai. Le vieil homme est sincère, il l'a senti encore apeuré en racontant. Cette peur, Justin l'a ressentie en lui-même, c'est pourquoi il reste figé près du vieux qui claque les doigts pour le sortir de sa torpeur.

– C'est fou ! laisse échapper soudainement Justin en réagissant à nouveau.

– C'est fou, mais c'est vrai.

– C'est bien ça le pire !

– Ne me dis pas que tu me crois ?

– Oui, répond Justin, en proie à une sorte d'illumination.

Ce récit vient de lui révéler l'existence réelle des forces surnaturelles. Cela le rend très nerveux et agité. Il se lève et décide d'emblée qu'il doit repartir, qu'il lui faut à tout prix approfondir la question.

– Ne pars pas comme ça, intervient Dominique qui le voit descendre le petit escalier à la hâte.

– Il faut que j'en parle. Je ne peux pas garder ça pour moi, c'est trop fort. J'ai besoin de l'avis du curé.

Le vieux se lève précipitamment et lui emboîte le pas.

– Arrête, Justin ! Attends ! Ne va parler de ça à personne !

Dominique trottine derrière le jeune homme qui rentre à nouveau dans le sentier. « Pourquoi lui ai-je raconté cela ? » songe Dominique, qui s'aperçoit qu'il lui a fait plus de mal que de bien. « La vérité te libérera », disait Catherine. « Elle me libérera et l'enchaînera, lui ! » s'écrie soudain Dominique à tue-tête, levant au ciel un regard torturé. Justin ne se retourne même pas. Il se faufile tant bien que mal entre les cimes des arbres renversés, poussé par un instinct de survie. C'est alors qu'arrive l'impossible : le jeune homme, qui a peine à se frayer un chemin dans tout ce bourbier, trempé de sueur dans sa longue salopette, voit se profiler une ombre gigantesque au-dessus de lui. Il s'arrête entre deux obstacles, lève les yeux et hurle à la mort. Dominique a le souffle coupé : une main énorme, noire et hirsute descend sur Justin et le saisit entre ses doigts griffus par l'étoffe de son survêtement. Ce dernier voit le sol se dérober sous ses pieds et il est soulevé à une vitesse vertigineuse. Dominique est sidéré. Il ne peut rien faire pour lui porter secours sinon crier à cette chose immonde : « Laisse-le tranquille ! Il ne t'a rien fait ! C'est avec moi que tu as un compte à régler ! Relâche-le, espèce de sadique, et viens te mesurer à moi ! » La main géante retient sa prise à plus de cinquante mètres du sol. D'où il se tient, Dominique ne peut voir qu'une main surgir au-dessus de la forêt. Justin, lui, a une tout autre vue sur la chose et est tellement horrifié qu'il s'évanouit en altitude. La main disparaît, emportant le jeune homme. « Non ! Non ! Ramène-le ! » crie et supplie le vieil homme, qui tombe à genoux en pleurant, invoquant le ciel d'empêcher une telle abomination. Mais étrangement, on dirait que les anges sont sourds. Plus personne ne lui répond. Pas même Catherine. Il est seul et totalement impuissant. Il se souvient des paroles de Catherine qui disait que la vérité le libérerait. Quelle liberté ! Faut-il qu'un innocent soit sacrifié pour trouver cette liberté ? C'est injuste et incompréhensible ! Dominique se relève péniblement, fait quelques pas et aperçoit le petit téléphone cellulaire de Justin sur le sol. Il lui faut prévenir quelqu'un. La camionnette bleue est là et semble attendre. Il ne sait plus quoi faire. Doit-il téléphoner à la police ou quoi ? Encore faudrait-il qu'il sache faire fonctionner cet appareil qu'il tient au creux de sa main. Il opte pour la camionnette. D'ailleurs, n'avait-il pas prévu de se rendre au poste de police de toutes façons ? Mais comment expliquer la disparition de Justin ?

❖ ❖ ❖

Les autorités sont dépassées par tout ce qui arrive. Dominique est assis dans le bureau du chef de police, à l'endroit même où se trouvait Michaël la veille. Miron et Taillefer sont là également. Les ayant informés de la disparition de Justin, le vieil homme n'a pu que mentir sur la cause réelle, faisant croire qu'il s'était perdu en forêt ou qu'il avait été attaqué par une bête sauvage.

— Vous dites qu'il était venu pour tester l'efficacité d'un téléphone cellulaire ? l'interroge le chef Bilodeau.

— Oui, et les tests se sont montrés concluants. Regardez, c'est cet appareil-là, dit Dominique en sortant le téléphone de sa poche. Justin voulait me le donner en cadeau si j'achetais la camionnette.

— La Chevrolet bleue avec laquelle vous êtes venu ?

— C'est ça. Oh ! Je suis en règle, elle a la plaque officielle !

— Je n'en doute pas. Justin est très respectueux des règlements. Ce qui me chicote, c'est la façon dont vous parlez de lui au passé. On dirait qu'il est formellement décédé à vous entendre.

— C'est une manière de parler. Je ne peux pas jurer qu'il soit mort...

— Alors racontez-nous encore ce qui s'est passé.

— Comme je vous ai dit, nous nous sommes rendus à la cabane et Justin a téléphoné au garage pour voir si la communication se faisait.

— Quelle heure était-il ?

— Je ne sais pas trop... onze heures du matin...

Bilodeau dit à Miron d'appeler au garage pour avoir la confirmation de cet appel. Bilodeau fait signe à Dominique d'enchaîner.

— Après avoir téléphoné, il s'est excusé auprès de moi, disant qu'il reviendrait dans quelques minutes. Je l'ai vu disparaître dans la forêt. Sans doute une envie pressante, une grosse envie.

— Il n'y a pas de toilette chez vous ?

— Bien sûr que oui. Je suppose qu'il se sentait plus à l'aise de se soulager dans la forêt. Quoi qu'il en soit, il n'en est jamais revenu.

— De la forêt ?

— C'est ça. Je l'ai attendu une dizaine de minutes et puis je me suis inquiété. Je trouvais qu'il prenait beaucoup trop de temps.

J'ai crié son nom et je suis allé à sa rencontre. Je ne l'ai jamais trouvé. Qu'auriez-vous imaginé à ma place ?

— Évidemment, à part se faire attaquer par une bête sauvage ou se perdre en forêt, je ne vois pas ce qui aurait pu lui arriver. Il n'y a pas de sables mouvants là-bas ?

— Pas à ce que je sache.

— Il a peut-être eu un malaise, ajoute le chef de police. Vous auriez pu passer tout près de lui sans le voir. Y a-t-il des fardoches dans cette forêt ?

— Un peu : des fougères, des framboisiers, du if. Pourquoi ? Vous pensez qu'il gît dans les broussailles ?

— Ça se pourrait, avouez-le !

Bilodeau détecte une pointe de scepticisme dans l'œil de son interlocuteur. « Que nous cachez-vous, monsieur Lapierre ? » lui demande brusquement Bilodeau, qui en a assez de tous ces mystères qui planent depuis quelque temps. Deux appels anonymes ont été logés dernièrement au poste, accusant le vieux Dominique de la mort de Pauline Sarrasin et de Cédric Dumont. La mort de Marco Lacroix reste elle aussi un mystère, la noyade du petit Sébastien et maintenant la disparition de Justin Cyr... Il se passe des choses étranges dans cette montagne, près de cette rivière Sacrée, et le vieil ermite semble y être impliqué.

— Saviez-vous qu'on vous accuse du meurtre de Pauline Sarrasin et de Cédric Dumont ?

— On ?

— Des résidants de Jérico.

— Je le savais. Je n'ai rien à voir avec ça. D'ailleurs, à ce que je sache, rien ne prouve que ces deux enfants soient morts. On dit qu'ils ont disparu, n'est-ce pas ?

— En effet. Nous ne pouvons affirmer qu'ils soient morts, mais des personnes, qui vous connaissent bien, croient en votre culpabilité. C'est facile de faire disparaître deux corps dans une montagne immense comme la vôtre. Justin Cyr vient peut-être aussi d'y trouver sa tombe. Qu'en dites-vous, monsieur Lapierre ?

On dit que vous avez perdu la raison depuis que vous vivez seul là-bas, que vous parlez à l'esprit de votre chère disparue et que…

– C'est vrai, chef, tranche Miron, qui vient de raccrocher le téléphone. Justin Cyr a passé deux appels au garage depuis son téléphone cellulaire. Le premier, c'était vers les dix heures et quart du matin et le deuxième, à onze heures.

– Merci. Pourquoi le premier appel ? demande Bilodeau, qui se radoucit à l'endroit de Dominique demeuré calme.

– Pour avertir ses gars qu'il rentrerait plus tard que prévu, parce que je venais de lui demander la permission de venir ici au volant de la camionnette que j'envisageais d'acheter et que j'étais en train d'essayer.

– Vous vouliez venir ici ?

– Oui, pour éclaircir les choses à propos des fausses accusations qui circulent à mon endroit. Je ne voulais pas attendre que vous rebondissiez à la cabane.

– Le sort vous a joué un sale tour on dirait.

– Comment ça ?

– Vous vouliez vous libérer d'un poids qu'on vous faisait porter à tort, mais ce qui vous amène maintenant est autre chose. Avec votre lourd passé, comment voulez-vous qu'on croie à cette histoire de disparition en forêt ? Tous les soupçons pèsent sur vous, plus que jamais encore. Justin a été tué par vous, avouez-le !

– C'est faux, sinon je ne serais jamais venu ici pour vous parler !

– Vous n'aviez pas le choix, cher monsieur, les employés du garage qui appartient à Justin Cyr savent que ce dernier était avec vous. Quoi que vous inventiez, ils vous accuseront de l'avoir tué.

– Prouvez-le, d'abord ! lance Dominique, excédé.

– C'est ce que je compte faire ! On va fouiller les environs de votre repaire ! Cet homme ne s'est pas volatilisé ni envolé comme une plume au vent !

Dominique se lève et le chef de police aussi. Celui-ci ajoute, ironique :

— Le passé nous rattrape toujours, monsieur Lapierre. On se croit guéri, et oups, on refait les mêmes bêtises qu'il y a cinquante ans. Cette fois-ci, vous ne vous en sortirez pas aussi facilement !

— C'est ce qu'on verra !

— C'est ça. Aussi, ne vous éloignez pas trop, on va aller fouiller là-bas avec vous.

— Vous me trouverez au garage de Justin !

Dominique sort en claquant la porte.

Il lui faut remettre la camionnette ou l'acquérir. Il quitte la ville en toute hâte et retourne dans son patelin presque à contrecœur. Comment expliquer aux employés du garage l'absence de leur patron et ami ? On ne les a sûrement pas encore informés de sa disparition. Au téléphone, Miron n'a pas précisé la raison pour laquelle il voulait la confirmation des appels. Le vieil homme, qui a cogité tout le long du trajet, voit finalement apparaître l'enseigne de Pétro-Canada et sent son coeur s'emballer dans sa poitrine. Il ne peut plus reculer. L'heure de la confrontation approche. Il met son clignotant à gauche et entre dans la cour. Les employés sont tous à l'intérieur. Dominique se signe de la croix et descend du véhicule. Le panneau par où on fait entrer les voitures est grand ouvert. Une automobile trône au sommet du cylindre géant et deux gars en salopette s'affairent à une vidange d'huile.

— Et puis, monsieur Lapierre, la camionnette vous intéresse ? demande Paul, l'un des deux hommes, petit blond d'une trentaine d'années, moustachu et l'œil azuré.

— Oui, elle m'intéresse, répond doucement le vieux en se mettant à l'abri du soleil.

— Justin ! appelle Sam, le deuxième gars, roux et pas vraiment beau, d'une voix puissante.

Il croit que l'interpellé est entré par la porte du bureau. Mais son appel reste sans réponse. Dominique a le front trempé de sueur. Il intervient aussitôt en voyant Sam s'avancer vers la porte qui sépare l'atelier du bureau.

— Ça ne sert à rien de le chercher, dit Dominique en supportant son regard interrogateur, Justin n'est pas revenu avec moi.

– Où est-il ? s'enquiert Paul, qui vient de dévisser le vieux filtreur.

– Je ne sais pas, répond bêtement le vieil homme en fixant le filet noirâtre qui s'échappe de la voiture.

Paul pousse un seau du bout du pied pour récupérer l'huile souillée.

– Il était avec vous, commente Sam, qui s'approche de Dominique en s'essuyant les mains avec un linge taché d'huile.

– Je sais. Il a disparu.

– Disparu ? s'étonne Sam, qui scrute le visage de ce vieil ermite aux allures qui leur ont tout le temps paru louches à eux aussi.

Paul délaisse sa besogne un instant pour les rejoindre et demande :

– Comment est-ce arrivé ?

– Dans la montagne, répond Dominique, circonspect.

– Dans votre montagne, reprend Sam, là où se trouve votre cabane ? Là où Justin a téléphoné la deuxième fois ?

– Oui, c'est là que j'ai constaté sa disparition.

– Racontez-nous, insiste fermement Paul, qui sent qu'il doit y avoir anguille sous roche et qui se demande bien ce que va inventer ce vieux sénile.

Alors Dominique s'exécute et leur donne, à quelques détails près, la même version qu'il a racontée au poste de police.

– C'est ridicule ! clame Paul en faisant un tour sur lui-même.

Il fait face à nouveau à Dominique et formule, sur un ton convaincu et convaincant :

– Justin n'est pas assez bête pour s'être perdu en forêt ou fait surprendre par un animal !

– Il a peut-être eu un malaise. C'est ce que pense le chef de police, ajoute Dominique, qui n'en croit pas ses oreilles de s'entendre mentir de la sorte.

Mais il le faut bien. La vérité est trop folle.

– Un malaise ! répète Sam en faisant la grimace. Justin a une excellente santé. Il a à peine trente ans. Qu'est-ce que vous croyez ?

Qu'il s'est fait éclater le cœur en se soulageant dans les bois ? Cessez de dire n'importe quoi, voulez-vous ? On sait que c'est vous qui...

– L'avez tué ? interroge Paul, alarmé.

– Jamais de la vie !

– Tué ou séquestré ! revient à la charge Sam, très en colère, dont le visage habituellement pâle se met à rosir.

– Ni tué ni séquestré ! rétorque Dominique, qui en a assez de ces accusations éhontées. Pour accuser quelqu'un, il faut des preuves et vous n'en avez pas ! Pas plus que la police ! Alors, laissez-moi tranquille ! Je vous ai dit ce que je savais de cette affaire. Si vous ne me croyez pas, attendez ! Les enquêteurs vont fouiller et vous verrez que je n'ai rien à me reprocher. En attendant, je veux acheter cette camionnette, dit-il en pointant le véhicule à l'extérieur.

– Désolé, répond vivement Paul en tournant le dos, c'est Justin le propriétaire, pas nous. Si vous voulez faire des marchés, c'est avec lui qu'il faut les faire.

Le vieux lui emboîte le pas et réplique :

– J'ai fait un marché avec lui. Il me la laisse à quinze mille dollars avec ça en prime.

Il sort le téléphone cellulaire de sa poche.

Sam s'empresse :

– C'est à Justin ! Que faites-vous avec ça ? En plus de l'avoir tué, vous voulez le déposséder ! Cette camionnette vaut au moins dix-huit mille dollars et ce téléphone lui appartient. Rendez-le-moi !

– Très bien, se résigne Dominique en remettant l'appareil à son opposant. Je vois que je n'obtiendrai rien de vous deux. Je pars, mais je reviendrai. J'ai fait un marché avec votre patron et je tiens à ce qu'il soit respecté.

– À condition que vous nous le rameniez !

– Si Dieu le veut, leur répond le vieil homme, qui voit arriver la voiture blanche des policiers.

Ces derniers sont justement venus le chercher. Miron et Taillefer entrent, racontent à Sam et à Paul que leur patron est porté disparu, et somment monsieur Lapierre d'embarquer avec eux. Ils repartent tous ensemble en direction de la montagne.

❖　❖　❖

Ce que Sophie a vu dans le haut de l'érable l'a mise dans un état épouvantable. Après qu'ils furent rentrés au village, Gino s'était résigné à la laisser seule à ses réflexions, selon son souhait. Elle avait besoin d'éclaircir certaines choses. Où était la vérité dans tout ça ? Qui était en train de perdre la raison, elle ou Michaël ? Les deux à la fois, ou ni l'un ni l'autre, si tout n'était que supercherie et divagation. Quoi qu'il en soit, avant le souper, elle décide de rencontrer Michaël et de lui parler franchement. Au téléphone, elle lui demande d'aller la rejoindre au terrain de jeu de l'école. Là-bas, en cette période de l'année, l'endroit est désert, donc tout indiqué pour les discussions franches.

Elle est assise dans les gradins et porte sa vue sur le grand terrain vert qui s'étire devant elle ; elle revoit les joutes amicales de baseball et entend encore résonner les cris des parents qui acclament leur progéniture. Elle est tirée de sa rêverie lorsqu'elle entend prononcer son nom. C'est Michaël, il vient d'arriver ; il grimpe les marches et s'assoit à côté d'elle. Il a le regard perdu, anxieux, torturé. Elle aussi a ce même regard et il le remarque immédiatement.

– Tu as vu, toi aussi ? lui lance-t-il d'emblée.

– Quoi ?

– Tu as vu les lianes ?

– Non !

– Je le vois dans tes yeux que tu as vu ce que j'ai vu. Ne me mens pas !

– Je ne te mens pas. Je dis que je n'ai pas vu les lianes. Ce que j'ai vu…

– C'est quoi ?

– C'est autre chose.

– Raconte.

Pour la première fois, il sent qu'elle commence à croire en son histoire.

– Ce matin, Gino et moi sommes retournés à la rivière. C'était mon idée. Je voulais vérifier quelque chose.

Michaël est suspendu à ses lèvres. Alors, elle lui dit qu'ils ont plongé et remonté une racine.

– Vous auriez pu être tués, dit-il.

– Ça s'est très bien passé ! réplique Sophie, irritable.

– Tant mieux, mais explique-moi pourquoi tu voulais cette racine.

– Une idée... comme ça...

– Ne sois pas stupide. Tu l'as fait parce que tu croyais à mon histoire. Tu voulais prouver quelque chose.

– Oui, je voulais prouver quelque chose ! rétorque-t-elle. Je voulais la preuve que tu divaguais. Cette racine n'avait rien de plus qu'une autre. Elle était tout ce qu'il y a de plus ordinaire.

– Était ? Pourquoi ne l'as-tu pas en main pour me la montrer ?

– Parce que...

– Quoi ?

– On l'a perdue.

– Perdue ?

– Oui, perdue ! Quelqu'un a dû la rejeter à l'eau pendant notre absence.

– Votre absence ?

Il n'y comprend plus rien et insiste pour qu'elle s'explique. Alors, elle se décide enfin à lui avouer qu'elle a grimpé dans l'arbre et qu'elle a vu :

– Du sang séché et des cheveux blonds...

– Je le savais ! s'enthousiasme le jeune homme dont le visage s'éclaire.

– Cela ne prouve en rien ton innocence ! tranche la jeune fille. Tu pourrais très bien avoir manigancé toute l'affaire pour... je ne sais quoi.

– J'aurais tué Marco ? Mon copain ? Vous êtes tous malades, ma parole ! Je n'ai tué personne ! C'est elle qui l'a tué ! Elle, la liane géante ! Je l'ai vue, Sophie, je te le jure ! Elle a surgi en plein milieu du bassin et a attrapé Marco par la taille. Ensuite, elle s'est dressée très haut, a pris son élan comme les lanceurs au baseball et a catapulté mon ami à pleine force sur l'arbre. Sa tête a frappé le tronc et il est retombé lourdement sur les branches. Là, la racine maudite m'a observé un instant et a replongé. J'ai compris qu'elle attendait le bon moment pour me tuer à mon tour. Je sais qu'elle m'a sur sa liste.

– C'est dément ! dit Sophie, qui en a la chair de poule. (Elle ne veut pas croire à de telles choses.)

– Qu'as-tu fait après avoir vu le sang et les cheveux dans l'arbre ?

– Gino et moi, on a fui.

Elle lui raconte qu'ils ont traversé en amont et que c'est en revenant chercher leurs vêtements qu'ils ont constaté que la racine n'était plus là.

– Sa mère l'a récupérée, en déduit Michaël.

– C'est absurde !

– Alors si tu trouves que c'est absurde, explique-moi pourquoi tu frissonnes de la sorte.

En effet, elle se frictionne les bras et pourtant, il fait vingt-huit degrés au soleil. En réalité, elle ne peut s'empêcher de penser que tout cela doit être vrai : que Marco a été lancé dans l'arbre avec force, que le sang et les cheveux séchés en témoignent sans conteste et que la petite racine n'a pas été rejetée à l'eau par des baigneurs, mais bien récupérée par sa mère, la liane géante. Elle se lève précipitamment et descend des gradins à toute vitesse. Michaël la suit. Sophie fait quelques pas sur le gazon et songe qu'elle a peut-être été traumatisée plus qu'elle l'avait pensé à la suite de l'attaque de l'ours. Peut-être que son cerveau dérape ? « Il faut que je parte », dit-elle sans se retourner. Le jeune homme aux cheveux noirs l'attrape par le bras pour l'arrêter et déclare en cherchant son regard : « Je ne t'ai pas oubliée, Sophie. Pourquoi m'as-tu laissé pour cet avorton ? Pourquoi ? » Elle essaie de se défaire de son emprise, mais il resserre ses doigts. Elle lui crie de la laisser, mais il l'attrape par les deux bras et l'attire à lui.

– Lâche-moi ! hurle-t-elle en tentant de se déprendre de son étreinte.

– Je t'aime, Sophie ! Je t'aime ! lui déclare-t-il en luttant pour la garder contre lui.

– Et moi je te déteste ! Tu n'as jamais aimé que toi-même ! Ne sois pas hypocrite ! Tout ce que tu veux, c'est me posséder ! Lâche-moi !

Il capitule. Elle se libère et s'éloigne en trottinant. Il l'observe d'un œil mauvais et jure qu'il aura sa vengeance. « Je n'ai pas dit mon dernier mot ! » crie le forcené tandis que la fille ouvre la grille et s'en va en courant.

❖ ❖ ❖

Le soleil commence à décliner lentement sur la forêt tandis que Dominique et son escorte officielle s'amènent dans le sentier. La voiture de police est restée à l'orée du bois. On ne voulait pas risquer de l'endommager dans ce petit chemin tortueux. Ils marchent depuis un bon bout de temps avec le vieil homme en tête de file. Il a bien retenu sa leçon : cette fois, il va dire que c'est le vent qui a jeté les arbres à terre. Il ne veut pas s'exposer davantage à la critique et être encore traité de fou. Il croit que s'il n'avait rien raconté à Justin, on ne s'en serait pas pris à sa vie. Est-il mort ? Dominique n'en a aucune idée. Il pense que oui. Pourquoi l'épargner tandis que tant d'autres ont été tués gratuitement ? Ils approchent du lieu du saccage. La camionnette est toujours là.

– Qu'est-ce qui s'est passé ici ? demande le chef de police qui suit Dominique de très près, constatant les premiers dégâts.

Les deux autres s'étonnent aussi.

– C'est le vent, répond Dominique, qui continue d'avancer.

Ils le suivent en écarquillant les yeux devant l'ampleur de la catastrophe.

– Le vent, dites-vous ? interroge Bilodeau.

– Oui, répond Dominique. Un vent venu de je ne sais où, un tourbillon d'une force inouïe qui s'est acharné dans le secteur.

– Une tornade ! déclare Miron.

Ils sont tous immobilisés dans le sentier, consternés, regroupés devant le bouleau blanc.

– Je ne crois pas que ce soit une tornade, précise le vieux. C'était autre chose. Un vent d'une violence incroyable et d'une précision telle que je n'arrive pas à l'expliquer.

– Une précision ? insiste Bilodeau.

– Oui, regardez, ce ne sont pas tous les arbres qui sont tombés. On dirait que le vent a sélectionné les arbres qu'il voulait renverser.

– C'est grotesque, réplique aussitôt le chef de police d'un air méprisant.

Ses deux acolytes en profitent pour rigoler. Dominique se rend compte qu'il dérape un peu, que malgré lui, il veut laisser planer l'idée qu'une force occulte est à la source du désastre. Pourtant, ce n'est pas ce qu'il escomptait. Il vaut mieux qu'il se taise et les amène derrière la cabane, là où il dit avoir vu Justin pour la dernière fois. « Allons à la cabane », propose-t-il en enjambant le bouleau. Ils acceptent et commencent à se frayer un chemin à travers ce fouillis. La traversée est longue et pénible, mais au bout de bien des efforts, ils arrivent à en sortir sains et saufs. Arrivés à la cabane, Dominique propose un arrêt. Il est fatigué et assoiffé, alors il les invite à entrer pour se désaltérer ; ils acceptent. À l'intérieur, Dominique pompe l'eau et leur remplit chacun un grand verre.

– On dit que vous lisez beaucoup, dit Bilodeau en s'approchant de l'étalage de livres.

– Qui vous a dit ça ?

– Des gens.

– Les nouvelles vont vite. Ma réputation dépasse les frontières de notre petit village.

– Jérico est sous la juridiction de Sainte-Claire. Rien de ce qui arrive ici n'échappe à notre vigilance.

– Je veux bien vous croire, mais en quoi ça peut vous intéresser de savoir que je lis beaucoup ?

Soudain, Dominique se rappelle les propos de Lyne Francœur, de ses mises en garde. Elle l'avait averti qu'Amanda Chagnon cherchait à le faire incriminer.

– Auriez-vous des informateurs ? demande Dominique.

Bilodeau vient de tirer un livre au hasard.

– Pas officiellement, répond distraitement le grand bonhomme qui lit à haute voix le titre sur la couverture : *Chevauchée sur les ailes d'un ange*. Joli titre. Une fiction, je suppose ?

– Pas tant que ça.

Bilodeau se montre sarcastique. Dominique n'aime pas qu'on fouille dans ses affaires et lui arrache le livre des mains. Les deux autres gars farfouillent également dans la pièce à l'affût d'une quelconque preuve pour un quelconque crime. « Ce livre, reprend Dominique en le replaçant sur la tablette, n'est pas recommandé aux néophytes. Il faut une certaine connaissance des choses spirituelles pour être en mesure de l'apprécier à sa juste valeur. Je ne vous le recommande pas. » À son tour d'être sarcastique ! Bilodeau rit dans sa barbe. Il croit bien pouvoir finir par l'épingler pour meurtre. « Allons fouiller la forêt », dit-il en sortant. Les autres lui emboîtent le pas. Dominique les amène derrière la cabane. « C'est ici que j'ai vu Justin pour la dernière fois. » Les trois officiels entrent dans la forêt et se mettent à chercher des indices, des preuves, des pistes, n'importe quoi qui prouverait que le vieux ne ment pas. Il y a une preuve : le fruit des entrailles du disparu. Justin s'est réellement soulagé en forêt, mais il en est revenu. C'est Taillefer qui fait la trouvaille.

– Cette merde pourrait très bien être à vous, précise Bilodeau, dédaigneux.

– J'ai tout ce qu'il faut pour me soulager à l'intérieur, répond Dominique, qui ne voit pas très bien pourquoi il aurait déféqué là pour faire croire que c'était Justin. Je ne vous ai pas menti à ce propos, souligne Dominique. Je vous avais dit qu'il était venu ici pour se soulager ; il l'a fait à ce qu'on voit, mais il n'en est jamais revenu. Je ne l'ai pas suivi. Je ne peux pas savoir ce qui s'est passé après qu'il a laissé… ça par terre.

– Ça, comme vous dites, ne nous dit pas grand-chose. Que s'est-il passé après ? C'est ce qu'il faut découvrir et je suis sûr que vous en savez beaucoup plus que vous ne voulez en dire. Miron, Taillefer, cherchez s'il y a des traces de lutte, des empreintes d'animaux qui nous indiqueraient s'il a été attaqué. Aussi, regardez bien dans les broussailles si vous ne le trouveriez pas.

Les deux interpellés s'exécutent et s'appliquent à scruter le sol.

– Vous pensez encore qu'il a eu un malaise et qu'il s'est écroulé tout près ? demande Dominique.

– C'est une possibilité qu'il ne faut pas écarter. Toutefois, l'idée qu'il se soit perdu en forêt me paraît plus qu'improbable. Regardez, on n'est qu'à quelques mètres de la clairière. On distingue le toit de votre cabane. Un aveugle retrouverait son chemin. Non, je crois qu'il y a une autre explication. Peut-être est-elle bien plus simple que l'on pense.

Bilodeau pose sur Dominique des yeux remplis de soupçons. Le vieux s'en moque. Il n'a rien à se reprocher. Il aimerait bien pouvoir leur dire ce qui s'est réellement passé, mais c'est impossible. Ils ont beau ratisser la forêt sur un large périmètre, ils ne trouvent rien. Ils n'ont d'autre choix que de capituler.

– Nous reviendrons avec des chiens, s'il le faut, dit Bilodeau. Si le jeune homme est sous terre, ils le trouveront.

– Et ils trouveront aussi les deux autres, la petite Sarrasin et le petit Dumont, d'ironiser le vieux Dominique, ceux que j'aurais supposément tués et enterrés, tout comme Justin d'ailleurs.

– Ne soyez pas trop suffisant, monsieur, répond le chef de police dont l'orgueil est piqué et qui est trahi par une veine saillante à son cou. J'ai le dossier officiel de vos implications criminelles, celles d'une époque où l'on n'a pas pu prouver vos fautes, où l'on a préféré accuser un disparu, quelqu'un qui n'a jamais avoué son crime en fin de compte. Une sombre affaire que je ne demande qu'à éclaircir ! Peut-être que sonnera bientôt l'heure de faire la lumière sur la mort de cette demoiselle Lachance qui, contrairement à ce à quoi son nom la prédestinait, n'a pas eu la chance de jouir de la vie bien longtemps.

– Allez-vous déterrer les morts ? lance Dominique, outré de voir qu'on s'acharne à nouveau sur cette vieille affaire.

– En effet, je ne souhaite que les trouver et les déterrer. Je parle au sens concret. Du sens où vous l'entendez, oui je déterrerai les morts s'il le faut, et j'en serai ravi. On pourra fermer le dossier définitivement et les âmes pourront dormir en paix.

– Ne parlez donc pas de choses que vous ne connaissez pas !

– Pourquoi, monsieur Lapierre ? Elles vous tourmentent, ces âmes ? La vôtre est-elle en paix ? C'est pour trouver cette paix que vous lisez ces livres sur la spiritualité ? Il ne suffit pas d'être un initié pour en apprécier le contenu, il faut seulement éprouver le besoin d'être apaisé. Ce que je n'éprouve pas. Mais vous ?

Dominique reste bouche bée ; il leur tourne le dos et marche en direction de la clairière. La journée a été si chaude, si éreintante. « Tant et aussi longtemps que vous n'aurez pas avoué, vous serez tourmenté », lui dit le chef de police en marchant derrière le vieux qui avance à grands pas. Il surgit enfin à l'orée du bois. Il respire à grands coups. Toutes ces choses étranges qui se sont passées dernièrement lui reviennent en avalanche dans la tête, l'étourdissent, l'effrayent, l'épuisent. Il a tellement hâte que tout s'arrête, que cette damnée mission qu'il doit accomplir se présente enfin et que cessent aussi toutes ces accusations mensongères à son endroit.

– Quand allez-vous cesser de m'accuser de tous les crimes impunis ? demande-t-il en se retournant vers eux.

Ils sortent tout juste de la forêt. Dominique a le visage rougi par la chaleur et l'oppression.

– Lorsque vous nous aurez tout avoué, répond calmement Bilodeau.

Il sent que le vieux est à la veille de craquer. Dominique paraît torturé, accablé.

– Je n'ai pas tué ces jeunes, dit-il en posant sur eux un regard ravagé par la tristesse. Je n'ai pas tué ces jeunes...

– Ils sont peut-être enfermés quelque part, séquestrés, torturés, affamés, ajoute Bilodeau en supportant le regard du vieil homme qui essuie la sueur sur son front. Il ne suffit pas de prendre la vie froidement pour commettre un crime. Réfléchissez bien, monsieur Lapierre. Nous reviendrons très bientôt pour pousser plus loin notre investigation, et j'espère que cette fois-là vous serez plus coopératif.

Dominique ne répond pas. Il a le regard fuyant et prie en son for intérieur pour que Catherine et ses anges viennent le délivrer au plus vite de cet enfer. Les trois inquisiteurs partent enfin, le laissant à son sinistre destin.

❖   ❖   ❖

DEPUIS quelque temps, Sophie n'a pas la conscience tranquille. Son intuition la titille constamment, lui intimant l'ordre de retourner au poste de police pour raconter ce qu'elle a vu dans l'arbre et ce qu'elle croit être la vérité. Certes, Michaël s'est montré excessif et impulsif dernièrement, mais il n'est pas fou. Il ne peut pas avoir inventé toutes ces histoires rien que pour attirer son attention. De plus, il n'aurait jamais pu tuer son ami Marco de sang-froid. Ça fait maintenant trois jours qu'elle a vu le sang et les cheveux dans l'érable. Elle sait qu'il est probablement trop tard pour prélever des échantillons. D'autant plus que cela ne prouve pas que Marco a été projeté là-haut par une liane géante, comme le dit Michaël. On croirait plutôt à une mise en scène pour maquiller les faits réels. Bien que les enquêteurs soient retournés sur les lieux du crime et qu'ils aient cherché d'autres indices, ils n'ont rien trouvé de plus qui innocenterait Michaël. Jusqu'à preuve du contraire, il est le seul témoin, la seule personne impliquée directement dans l'affaire. Son histoire de liane géante n'a pu que renforcer les soupçons qui pèsent sur lui. On croit qu'il plaide la démence. Sophie se taira et elle ne retournera pas au poste de police. Son intuition la trompe probablement. Elle décide plutôt d'aller à l'hôpital pour discuter avec un psychologue. Nul doute que le traumatisme causé par l'attaque de l'ours l'a ébranlée émotionnellement. Gino ira la reconduire le matin même.

De son côté, Michaël est tourmenté à l'extrême. La veille, on a enterré Marco, son copain. Il n'a même pas osé se présenter à l'office, de peur d'être fustigé par des regards et des propos haineux. Il a su que les parents éplorés le tenaient pour responsable de la mort de leur fils et réclamaient justice et châtiment. C'est pourquoi ce matin-là, il roule sur les routes secondaires de la campagne en quête d'une évasion, loin des regards accusateurs et des pierres qu'on pourrait lui lancer par excès de colère. Il a fait réparer le capot de sa voiture et remplacer la vitre brisée. À l'aide d'un produit miracle, il a fait disparaître toutes les vilaines taches sur les banquettes. Sa belle voiture rouge a retrouvé toute sa fraîcheur et sa splendeur. Vitres fermées et climatiseur en marche, il fonce tout droit en direction ouest sur la route principale. De chaque côté, les bêtes paissent dans les champs, les grandes étendues d'orge et de blé déroulent leur long tapis qui commence à se teinter d'ocre, les silos se dressent fièrement dans les cours d'étable et quelques agriculteurs sillonnent les champs sur leur tracteur de ferme pour ramasser la dernière coupe pour l'ensilage.

Le chemin du Bras ouvre la voie sur la droite. D'instinct, Michaël met son clignotant et s'y engage. Cette petite route l'a souvent attiré lorsqu'il circulait en bicyclette avec des amis, mais il n'a jamais osé s'y aventurer. On disait que c'était le chemin de l'ogre et qu'il était périlleux d'y mettre le pied. Mais aujourd'hui, Michaël n'a peur de rien. Il en a vu bien d'autres. Il ne sait pourquoi, mais il se sent appelé vers la montagne qui s'élève majestueusement au bout de la petite route. Une raie d'herbes touffues s'aligne en plein centre du sentier, et de chaque côté s'étirent de longs rubans de terre battue. La luminosité dans laquelle baigne la campagne procure un semblant de paix au jeune conducteur, qui ne sait pas trop ce qu'il fait là. C'est son père qui lui a proposé ce congé. Son poste de chef d'équipe à l'entreprise de coulage commence à lui peser sur les épaules. Son esprit est assailli par toutes ces choses incroyables qui se sont passées, et il croit que bientôt on devra le remplacer par quelqu'un de plus efficace. La journée précédente, il a failli gaspiller des tonnes de béton par manque de jugement. N'eut été de la vigilance et de l'expertise d'un ancien travailleur, il ruinait non seulement la charge de béton, mais il risquait aussi d'endommager grandement le malaxeur, un mastodonte d'une valeur inestimable. Tout lui glisse entre les mains : sa blonde, son travail, sa raison... Même ses ambitions les plus nobles lui échappent. Ses beaux projets de faire carrière dans le théâtre n'ont plus la même saveur. Tout lui paraît terne et obtus. Il perd tranquillement de son assurance et de son audace. Il devient quelqu'un d'autre, quelqu'un de cérébral, qui cogite constamment, qui est habité par des images laides et effrayantes, qui broie du noir, qui se fait peur à lui-même et qui se sent aspiré dans un tunnel sombre où vivent d'affreuses créatures qui finiront bientôt par l'attraper et l'entraîner dans leur déchéance. C'est de la folie pure. Il a peur, mais il roule quand même sur la petite route étroite et respire l'air frais du climatiseur en grillant une cigarette. Il ne sait pas encore ce qu'il fabrique dans cette campagne verdoyante, mais il avance.

Bien vite, il arrive à la lisière du bois. Il arrête le moteur, sort de la voiture et ouvre le coffre arrière. Il prend une bière dans le carton, la décapsule et étire le bras pour refermer le capot, mais d'un seul coup, il lui vient une idée farfelue. Il prend une deuxième bière et referme le coffre. Puisqu'il n'a plus peur de rien, il a décidé d'aller offrir cette bière à l'ermite, le vieux fou, celui contre qui tous les parents ont mis leurs enfants en garde depuis qu'ils ont appris à marcher. Il est temps, selon lui, d'exorciser à jamais ces vieilles peurs qui lui ont été transmises. Michaël ne pense pas qu'il soit aussi méchant et dangereux qu'on le dit, car il se souvient de cette journée où ce dernier a pris à bord Nathalie et Manon. Il se rappelle les avoir revues saines et sauves peu de temps après. Il se souvient aussi que son regard avait croisé celui du vieux Dominique et qu'il s'était passé quelque chose en lui, une sorte de confusion mentale, comme si une chose tapie au fond de ses entrailles s'était manifestée. Il n'avait pas cherché à en savoir davantage cette journée-là, car l'idée de regagner le cœur de Sophie l'obsédait.

C'est une matinée charmante, comme toutes celles qui ont fait le mois de juillet, et août s'annonce aussi clément. Le soleil est encore au rendez-vous, et les odeurs de la forêt ravivent les sens du jeune homme qui s'engage dans le petit chemin de halage. On lui a souvent parlé de la cabane du vieux et du chemin à prendre pour s'y rendre. Il marche d'un pas sûr, ingurgitant une gorgée de bière de temps à autre. La population de Jérico ne parle que des malheurs qui se sont abattus sur la région dernièrement. Justin Cyr est le dernier sur la liste des victimes. On impute ces crimes à Dominique ou à Michaël. Depuis la mort de Marco et l'implication directe de Michaël dans cette affaire, on reconsidère les choses, prenant conscience que le vieil ermite n'est peut-être pas le seul sadique de la région.

Un bourdonnement suspect arrive aux oreilles du marcheur. C'est le bruit d'une scie à chaîne. Michaël presse le pas. Il devine que c'est le vieil ermite qui s'affaire à la tâche. « Mon offrande tombe à point », songe le jeune homme en serrant la bouteille pleine dans sa main gauche, levant les yeux sur le soleil chaud qui lui tire des sueurs. Même s'il ne porte qu'un pantalon court et un maillot, la chaleur étouffante des lieux l'enveloppe, l'emmaillote dans ses langes. Il avance à grands pas, et le rugissement de la scie s'accentue ; il approche. Une crainte certaine commence à s'éveiller en lui à mesure qu'il prend conscience qu'il va au-devant du vieux. C'est la première fois, d'après ce qu'il en sait, que quelqu'un ose s'aventurer de son plein gré sur son territoire. Lyne Francœur l'a fait avant lui, mais il n'en sait rien. Les lianes lui en ont fait voir de toutes les couleurs et l'ont préparé à relever bien des défis. Cependant, le vieux Dominique a tellement hanté longtemps ses cauchemars dans son enfance, à cause de tout ce qu'on racontait sur lui, que Michaël n'est plus aussi sûr qu'il est bon d'être là en ce moment. Il s'arrête. Le bruit de la scie résonne avec force. Il étire le cou et arrive à distinguer la silhouette du vieil homme à travers les feuillages. Une trentaine de mètres à peine les séparent. Le cœur battant la chamade, le jeune homme hésite, s'envoie une bonne lampée du liquide ambré, s'essuie les lèvres du revers de la main, expire avec force et décide de reprendre le pas. Il lui faut aller jusqu'au bout.

Dominique ébranche et tronçonne depuis trois jours, s'affairant à déblayer le sentier. Il a fait la moitié du travail. La chaleur accablante l'oblige à travailler par intermittence, au profit de la fraîcheur du matin et des fins d'après-midi. Il est à peine neuf heures, mais déjà il sent venir le moment d'arrêter. Il est là depuis six heures trente. Michaël surgit au tournant et le vieux l'aperçoit. Quelques mètres les séparent. La vieille camionnette est toujours là. Dominique n'a pas encore eu le temps de décider ce qu'il en ferait.

Il n'ose plus faire appel aux services du garage de Justin Cyr, car ce dernier reste introuvable. Dominique avait espéré que la chose innommable le ramènerait. Le vieux arrête la scie.

– Bonjour monsieur ! ose Michaël qui longe la camionnette.

– Bonjour, dit Dominique, intrigué.

Le nouveau venu se rend jusqu'à lui en constatant ce qui reste des dégâts, considérant l'accumulation de bois cordé de chaque côté du chemin.

– Eh bien, dites donc ! Ça en fait du bois !

– Pas mal, en effet.

– Je me présente : Michaël Desormeaux.

Celui-ci prend les deux bouteilles dans sa main gauche et tend sa main droite à Dominique, qui retire ses gants et serre cordialement cette main tendue. Le regard perçant de ce jeune homme lui rappelle quelque chose.

– Tu es de Jérico, toi ?

– Oui. Je suis le fils de Réginald Desormeaux, le fondateur et dirigeant des entreprises D'armes et de Béton.

– On s'est vus il n'y a pas longtemps ?

– C'est possible, répond Michaël, qui préfère ne pas parler des circonstances qui les ont fait se croiser. Tenez, c'est pour vous, s'empresse-t-il de dire en lui offrant la bière.

Dominique l'accepte avec joie.

– Merci, ça va faire du bien. Il fait si chaud.

Il en avale une bonne gorgée et lui demande s'il est venu ici rien que pour lui apporter cette bière.

– Non, je voulais me rassurer sur ce qu'on dit à votre sujet. Dès qu'on a l'âge de marcher, on nous recommande de se tenir loin de vous, loin du vieux fou qui habite dans la montagne. C'est comme ça qu'on parle de vous aux jeunes enfants qui croient dur comme fer que vous êtes un ogre, comme ceux qu'on voit dans les contes de fées. Moi, j'ai dix-huit ans maintenant et je ne crois plus aux contes, encore moins aux ogres.

– Tu voulais constater sur place qu'ils se trompaient ?

– Exactement.

Michaël démontre de l'assurance, mais au fond il tremble. Dominique le trouve franc et audacieux. Il l'invite à s'asseoir à l'ombre, sur le tronc d'un arbre renversé. Le jeune homme se calme un peu et lui demande ce qui est arrivé à tous ces arbres.

– C'est le vent, répond Dominique qui a du mal à mentir.

– Le vent ?

– Oui... un vent fou, déchaîné. C'était spectaculaire.

Michaël doute de ces propos. Il ressent un malaise et devine, dans ses yeux, que le vieux lui cache une réalité qui est tout autre.

– Vous avez peur ? interroge Michaël, décelant dans l'œil de son vis-à-vis la même peur de devenir fou que lui-même ressent depuis les événements affreux qui se sont passés.

– Peur ?

– Oui, je le vois dans vos yeux !

Michaël s'excite. Enfin, il a la conviction d'avoir trouvé un allié.

– Vous avez vu des choses incroyables se produire, n'est-ce pas ? Des lianes se mouvoir ? Ce sont elles qui ont tout saccagé ici ?

– Calme-toi, lui répond Dominique qui le sent tout fébrile, proche de l'hystérie.

– Je ne peux pas me calmer, monsieur ! Ça fait tellement longtemps que je cherche à raconter mon histoire à quelqu'un qui a vu ce que j'ai vu. Des choses épouvantables ! Des choses innommables et folles auxquelles j'ai moi-même de la misère à croire. Mais elles sont arrivées, je le jure. Dites-moi ce qui s'est réellement passé ici ! Je sais que ce n'est pas le vent qui a fait ça. Est-ce les lianes ?

– Quelles lianes ? Je ne vois pas du tout de quoi tu parles.

– Les lianes géantes, celles qui surgissent dans la rivière et vous attrapent pour vous tuer.

— Il n'y a pas de lianes géantes par ici.

— La rivière coule tout près. Je suis sûr qu'elles étendent leurs longs tentacules jusqu'ici.

— Tu fabules, mon garçon. Fais attention à ce que tu rapportes, car les gens pourraient t'enfermer dans un asile pour aliénation mentale. La schizophrénie est une terrible maladie.

— Qui vous parle de schizophrénie ? J'ai vu des choses et je sais que je ne les ai pas inventées. D'ailleurs, des personnes sont mortes à la suite de ce qui s'est produit. Malheureusement, il semble que je sois le seul à pouvoir témoigner de tout ça.

— Tais-toi ! intervient Dominique, qui en a assez de l'entendre.

Il a peur que surgisse la main géante au-dessus de la forêt. C'est pourquoi il refuse de lui dire ce qui a jeté à terre tous ces arbres, même s'il sent que ce dernier a grand besoin d'un allié, d'un témoin.

— De grâce, supplie Michaël en lui touchant l'épaule, parlez-moi ! Dites-moi ce que vous savez ! Je sens que vous aussi vous avez vu ce que j'ai vu, mais que vous avez peur de parler. Pourquoi ? Que craignez-vous ? Moi, je ne crains plus rien. Après ce que j'ai vécu, je suis prêt à risquer ma vie, à descendre au fond des enfers pour que cessent mes tourments. C'est ça ou bien c'est la folie qui va me tuer à petit feu. Je crois même qu'elle a déjà commencé ses ravages.

Dominique le trouve bien pathétique. Pauvre enfant, il n'a pas la foi et ne sait pas que les anges sont là pour le sauver. Il va périr si on ne l'aide pas. Pourquoi s'acharner sur lui ? Pourquoi l'a-t-on amené jusqu'ici pour raconter son récit ? Serait-ce un ange qui l'a guidé ? C'est alors que Dominique se souvient de l'avoir vu, le jour où il a fait monter à bord les deux jeunes filles qui faisaient de l'auto-stop. Ce jour-là, les yeux du jeune homme ont lancé des éclairs démoniaques et Dominique a su que l'âme errante l'avait choisi comme acteur dans son funeste scénario. Dans quel dessein ?

— Tu es habité d'une force malfaisante, déclare Dominique d'une voix solennelle.

– Pardon ?

– Tu as un rôle à jouer.

– Je ne comprends rien à ce que vous dites.

– Je sais, mon gars, je sais, dit Dominique, qui peut lire tout l'effroi dans les yeux verts de Michaël.

– Je ne sais qu'une chose, c'est que la créature veut ma peau et qu'elle finira par l'avoir.

– Ne dis pas ça. Il faut te battre.

– Vous me croyez ? Vous le savez que je ne mens pas en parlant des lianes ?

– Ton histoire de lianes ne veut rien dire pour moi, mais je te crois si tu parles de choses inexplicables ou de forces surnaturelles. Elles existent et elles sont dévastatrices.

– Elles peuvent dévaster une forêt ?

– Oui.

– Qui sont-elles ? D'où viennent-elles ? Et pourquoi ?

– Elles ne sont qu'une.

– Comment ?

– Il s'agit d'une force de l'au-delà qui a plusieurs visages, qui se ramifie selon son bon vouloir. Rien ne peut l'arrêter, sinon les énergies divines.

– Vous parlez de Dieu ?

– Exactement. Il est le seul qui peut contrecarrer ses projets.

– Je ne crois pas en Dieu.

– Alors tu es à la merci de ce démon. Il t'a choisi à cause de cette faille qu'il y a en toi. Es-tu amoureux de quelqu'un ?

– Oui, mais la fille m'a laissé tomber pour un autre, un crétin sans envergure.

– Tu parles en homme jaloux et possessif. Tu n'aimes pas cette fille. Si tu l'aimais, tu accepterais ses choix. L'amour accepte tout sans juger, sans condamner ni maudire. Tu les maudis en parlant comme tu le fais. Ce n'était pas de l'amour que tu éprouvais pour elle.

— Comment pouvez-vous le savoir ?

— Parce que j'ai aimé autrefois et que je sais ce que la jalousie peut faire. Elle est démoniaque !

— Vous étiez jaloux ?

— Pas moi...

Dominique se tait. Michaël le trouve bien circonspect.

— Comme vous êtes étrange ! Ils ont raison de dire que vous parlez aux esprits ?

— Oui, ils ont raison. Je parle à ma façon aux esprits. Aux bons esprits. Ils sont là pour me protéger. Invoque-les, ils vont t'aider.

Michaël a les mains froides. Il tremblote. Un monde les sépare. Il se sent si petit, si vulnérable, sans ressource. Le vieil homme a retrouvé sa sérénité. Ce qu'il vient de révéler au jeune homme l'a allégé, même s'il sait que ce dernier n'en est que plus perturbé. Il revient à chacun de porter son fardeau. Il lui a montré la voie de la rédemption. Il n'en tient qu'à lui de croire en quelque chose de plus grand que sa propre personne.

— Prie, lui dit Dominique.

— Je ne sais pas prier. On ne me l'a pas enseigné. Mes parents sont athées.

— Et pourtant tu es venu ici de ton propre chef. Qu'est-ce qui t'a poussé réellement à venir jusqu'à moi ?

— Je vous l'ai dit, j'avais besoin de trouver un allié...

— Non, non, ce n'est pas ça ! Tu m'as dit que tu voulais vérifier par toi-même si j'étais un ogre. Tu as laissé ton cœur te guider. Une petite voix en toi te poussait à agir de la sorte. Non ?

— En effet, répond faiblement Michaël qui se rappelle très bien avoir agi comme un automate pour arriver là.

— Pourquoi n'as-tu pas rebroussé chemin ? J'aurais pu être celui dont on t'a longtemps parlé : ce vieux fou qui tue et dévore les enfants.

– Non ! s'oppose vivement Michaël. Je savais que vous n'étiez pas méchant ! Je le savais !

– Comment pouvais-tu le savoir ? Tu ne m'avais jamais rencontré !

– Au fond de moi, je le sentais.

– Au fond de ton cœur ?

– Oui...

– Tu vois, tu as écouté ton cœur qui te disait d'avoir confiance, que le vieux Dominique n'était pas méchant, qu'on se trompait sur lui, qu'on t'avait bourré le crâne depuis que tu es né et que tu ne risquais rien en venant jusqu'ici. C'est ça avoir la foi, mon gars, c'est écouter sa voix intérieure et la suivre !

Michaël réfléchit à tout ça. Il se sent fier d'avoir osé aller jusque là.

– Je vous ai même donné cette bière, dit-il en souriant.

– Un geste de bonté. Tu as le cœur à la bonne place. Il suffit seulement que tu ne te laisses pas dominer par tes pulsions.

– Quelles pulsions ?

– Je sais de quoi je parle, Michaël, je sais de quoi je parle. Je te le répète, ne te laisse pas dominer par ton impulsivité. Elle te perdra. Ton esprit jaloux et possessif essaiera sans cesse de te faire tomber dans ce piège. Prends garde ! Aux pires moments de ta vie, résiste !

Alors le vieux consent à lui avouer, sans entrer dans les détails, qu'il a été lui aussi témoin de choses au-delà du réel, de faits inexplicables, de phénomènes surnaturels. Michaël en profite pour lui parler des lianes et de ce qu'elles ont le pouvoir de faire. Dominique opine du chef. Il a vu pire. Michaël est soulagé d'apprendre qu'il n'est pas le seul à avoir vu. Dominique n'est peut-être pas un allié de combat, parce qu'ils luttent individuellement, mais son témoignage a le pouvoir d'apaiser les appréhensions que nourrissait le jeune homme à propos de sa santé mentale. Maintenant, il sait qu'un univers parallèle existe et qu'il n'est pas fou d'y croire. « Tu as vu le mal dans toute sa laideur, dit encore Dominique. Sache que le bien est plus grand et plus fort. Ne l'oublie jamais. » Dominique se lève précipitamment, comme si une guêpe l'avait piqué. Alerté, il est à l'affût du moindre bruit dans la forêt. Michaël se lève aussi. L'attitude du vieux lui fait peur.

– Que se passe-t-il ?

– Je ne sais pas, répond Dominique, l'oreille appliquée à quelque chose qu'il est seul à entendre.

– Qu'est-ce que c'est ? insiste Michaël qui pressent un danger.

Le vieil homme a le front plissé, l'oreille droite bien tendue, lorsqu'il clame avec empressement : « Il faut partir sur-le-champ ! » Dominique saisit son jeune ami par le bras et l'entraîne avec lui. Ils s'élancent en direction de la vieille camionnette, puis un bruissement, un craquement assourdissant retentit dans la forêt. Les deux hommes sont figés sur place. On dirait qu'un géant est en train de piétiner les arbres pour venir vers eux. « Partons d'ici ! » crie Michaël qui croit que c'est la liane géante qui est revenue pour l'attraper et le mettre à mort. Dominique fait appel à ses anges et demande l'aide de Catherine. Il ne reçoit pas de réponse. C'est comme si on l'avait abandonné. Le bruit est infernal, toute la forêt tremble. Puis il se souvient des paroles de Catherine qui disait que ce ne sont que des illusions. « Ce ne sont que des illusions, Michaël ! » crie le vieux à son endroit, lui qui trépigne en tous sens, ne sachant plus où aller. Dominique se tient à la lisière du bois, près de la camionnette. « Restons ensemble ! » dit-il encore tandis qu'il voit soudain le visage de Michaël se métamorphoser sous l'emprise de l'épouvante. « Attention ! » hurle ce dernier, pointant quelque chose qui vient de surgir dans le dos de Dominique, qui se retourne vivement et aperçoit la main géante aux doigts crochus. Elle émerge de la forêt, s'immobilise, ses grands doigts s'agitant comme des pattes d'araignée, hésitant à choisir l'un d'eux. Dominique n'attend pas qu'elle se décide. Il court jusqu'à sa scie à chaîne.

Pendant ce temps, Michaël voit sa fin arrivée lorsque, acculé dans un bosquet, la main hideuse s'étire jusqu'à lui. « Dominiiiiique ! Dominiiiiique ! » appelle désespérément le malheureux. Un coup de corde et la scie se met à rugir. « Accroche-toi à un arbre ! » lui crie Dominique. La main géante essaie d'attraper Michaël qui a le temps de prendre un érable à bras-le-corps et de s'y accrocher de toutes ses forces. Les doigts acérés et puissants de la chose râpent le tronc de l'arbre, saisissent leur proie par le corps et la tirent pour l'arracher à ses attaches. « Dominiiiiique ! » crie le malheureux avec la force du désespoir, tandis que ses doigts se desserrent et qu'il se sent tiré inéluctablement. Dominique arrive au pas de course en brandissant son arme tonitruante. « Celui-là, tu ne l'auras pas ! » profère-t-il, se jetant littéralement sur la main géante, dont l'attache est aussi volumineuse que le tronc d'un érable centenaire. La chaîne mordante se met à trancher dans le bras noir et velu. Le sang gicle. Michaël ressent assez vite un relâchement à la taille. Les doigts crochus perdent de la vigueur. Le sang éclabousse le visage de l'ermite qui s'acharne à la tâche dans un réel ravissement. « Ce n'est qu'une illusion » résonne dans sa tête. Illusion ou pas, il s'arrêtera quand la main aura relâché son ami ou lorsqu'elle tombera sur le sol.

Michaël s'arrache enfin à l'emprise des doigts griffus. La main capitule. Elle est sectionnée à demi. « Toute chose a deux mains », songe Dominique en voyant celle-ci, dégoulinante de sang, se rétracter dans la forêt. La scie est toujours en marche. Michaël s'est caché derrière un gros bouleau et Dominique, couvert de sang, attend. Il s'écoule une dizaine de secondes, marquées du ronron de la scie, quand surgit à nouveau la main au-dessus de la forêt. Elle a le poing fermé, et comme une grue géante, elle s'abaisse tranquillement jusqu'à terre et s'ouvre. Justin tombe sur le sol, et la main ensanglantée repart. Dominique accourt, se penche sur le revenant, qui est vivant, et remercie le ciel à genoux. « Qu'est-ce qui s'est passé ? » demande le nouveau venu, tout hébété, en essayant de se relever. Sa salopette est ouverte sur le torse, dénudant son épaisse toison. « Relève-toi », lui dit Dominique en l'aidant à se remettre debout. Justin se relève, remonte sa fermeture éclair, passe une main dans ses cheveux, balaie les lieux d'un regard confus et tente de rétablir sa respiration, comme quelqu'un qui a été pris en chasse. Michaël sort de sa cachette et va les retrouver. Il tremblote comme une fillette. Justin voit le sang sur le visage de Dominique et lui demande ce qui lui est arrivé. Le vieux répond qu'il s'est fait une petite entaille à la tête. Son vis-à-vis plisse le front, étonné, mais n'argumente pas. Il aperçoit la vieille camionnette et lâche tout bonnement :

— Vous allez l'acheter la Chevrolet, monsieur Lapierre ?

— Quoi ?

Dominique réalise que Justin n'a pas le souvenir de ce qui s'est passé. Pour ne pas ajouter à sa confusion, il répond avec bonhomie :

— Certain que je vais l'acheter. On a fait un marché.

— Quinze mille dollars. Je n'ai qu'une parole.

— Et le téléphone !

— En prime. Je sais.

Michaël a le goût de sourire de les voir négocier de la sorte en des circonstances si inopportunes, ce qui a le pouvoir de dédramatiser la situation et de l'apaiser.

— Il faut partir d'ici, annonce-t-il subitement, réalisant qu'ils ont la vie sauve et qu'il ne faut pas traîner là.

— Oui, il faut que je parte, monsieur Lapierre, reprend Justin en fouillant dans sa poche. Où est mon cellulaire ?

— Au garage, échappe Dominique.

— Comment ça ? C'est impossible, je l'avais apporté avec moi. J'ai même téléphoné aux gars à deux reprises. Vous étiez là, vous vous en souvenez ? J'ai dû le perdre, ajoute Justin en fouillant dans ses poches. Et vous, vous avez sûrement des pertes de mémoire, dit-il encore en riant.

Dominique n'a plus le choix :

— Il faut que je te parle, dit-il, l'air grave.

— Moi, je pars ! exprime Michaël, qui craint de voir surgir la main géante à tout moment.

— Ne t'en va pas tout de suite, intervient Dominique. Tu vas ramener Justin au village. Mais avant, j'ai à lui parler.

Le vieux entraîne Michaël à l'écart. Ils entendent Justin marmonner qu'il a sa voiture, mais il la cherche et ne la trouve pas. « Où est-elle ? » demande-t-il. Personne ne lui répond. Dominique glisse à l'oreille de Michaël : « Justin a perdu la mémoire. Il ne se souvient pas de ce qui s'est passé. Ça fait quatre jours qu'il est porté disparu. Je crois qu'il a vécu un trou noir. Je vais lui expliquer les choses à ma façon pour ne pas qu'il soit trop perturbé. Toi, tu sais ce qui s'est réellement passé, alors n'interviens pas. D'accord ? » Le jeune homme acquiesce. « J'ai soif ! clame Justin, en léchant ses lèvres desséchées. Où est la Chevrolet ? » « Allons à la cabane, dit Dominique, prenant le pas. Je vais tout t'expliquer là-bas. »

❖ ❖ ❖

L A porte du petit bureau se referme doucement et la psychologue, une jeune et grande femme mince, dans la trentaine, vient s'asseoir dans un fauteuil face à celui de Sophie. Le CLSC de Sainte-Claire est annexé à l'hôpital. En attendant, Gino arpente les couloirs, à la recherche de sa mère, qui doit faire la visite des malades à cette heure.

Des certificats d'attestation pendent sur les murs, des photographies d'enfants trônent sur le bureau rempli de paperasse et une fougère arborescente du Mexique déploie ses ramures près de la fenêtre par où pénètrent difficilement les rayons du soleil filtrés par le store vénitien à peine entrouvert. Les mains moites, les idées confuses, doutant du bien-fondé de cette démarche, Sophie attend pour parler. La jeune femme aux cheveux blonds, coupés courts, aux grands yeux profonds, croise ses longues jambes fines et dit avec un sourire bienveillant :

– Qu'est-ce que je peux faire pour toi, Sophie ?

Celle-ci joue avec ses doigts et, nerveusement, répond :

– Je ne sais pas.

– T'aider, j'espère ?

– Je l'espère aussi.

– J'ai su que tu as été attaquée par un ours. Est-ce pour cette raison que tu es là ?

– Peut-être.

– Pourquoi ? Tu n'as pas l'air certaine.

– Oui, c'est un peu pour ça... du moins, je le crois. Mais... c'est pour autre chose aussi.

– Vas-y. Je t'écoute.

Sophie souhaite lui parler de ce qu'elle croit être réel à propos des choses que lui a racontées Michaël, mais en même temps, elle a peur qu'en le faisant, on la classe parmi les malades imaginaires, les fous, les déséquilibrés, les schizophrènes. Il ne le lui a jamais laissé voir, mais elle devine que Gino s'inquiète pour sa santé mentale, surtout depuis qu'elle a vu le sang et les cheveux dans l'arbre et qu'elle s'est mise à avoir peur du bassin dans la rivière.

– L'attaque de l'ours m'a un peu ébranlée, dit-elle.

– Tu fais des cauchemars ?

– Non.

– Tu n'oses plus t'aventurer dans la forêt ?

– Non.

– Tu revis sans cesse la scène ?

– Non plus.

– Mais alors ! Pourquoi dis-tu que tu te sens traumatisée par cet événement ? À ce que je vois, tu l'as oublié.

– Vous croyez ?

– Si tu me dis la vérité, c'est évident.

– Tant mieux, dit Sophie en arborant un sourire.

Elle a enfin la confirmation que ce sombre épisode est bel et bien révolu. Pourtant, son esprit n'est pas en paix et la femme au regard perçant le devine.

– Il y a autre chose qui te tracasse ?

Sophie soupire bruyamment.

– Oui.

– Raconte-moi ce que c'est.

La jeune fille hésite.

– Quelque chose de fou...

Elle s'interrompt. L'autre attend la suite. Sophie cherche la façon de tout lui dire en scrutant dans les tuiles du plancher.

– Prends tout ton temps, nous avons une heure devant nous. Si tu n'es pas prête à parler, ça ne fait rien. Tu n'es pas obligée. Il ne faut pas te sentir coupable ou lâche si jamais tu repars sans avoir dit ce que tu voulais dire. Tu n'auras qu'à revenir me parler lorsque tu en sentiras le besoin...

– Non ! échappe Sophie sous l'emprise d'une envie folle de partager ce qu'elle ressent.

Tant pis si elle va au-devant des problèmes, il faut qu'elle parle.

– Il se passe des choses étranges à Jérico ! déclare-t-elle en fixant la thérapeute.

– Quelles choses ?

– Des choses que je n'arrive pas à expliquer. Ça s'est passé près de la rivière. Des gens sont morts et d'autres ont disparu.

– J'ai entendu ça à la radio. On soupçonne un jeune homme de meurtre, je crois ?

– Oui, mais c'est une erreur. Il n'a tué personne.

– Sophie, tu n'es peut-être pas au bon endroit pour discuter de cette affaire. Pourquoi ne vas-tu pas au poste de police ?

– J'y suis allée, mais ils ne croient pas en ces choses dont je veux vous parler.

– Quelles choses ? insiste la femme.

– Des choses qui nous dépassent... du domaine de l'irréel, des choses dont j'ai peine à vous parler parce que j'ai peur que vous posiez un diagnostic sévère.

– Je ne suis pas psychiatre, rassure-toi. Mon mandat est de t'amener à parler pour te soulager. Je ne vais pas te juger non plus. Tu as l'air équilibrée, sensible, raisonnée. Je sens aussi que tu es fragile et certainement influençable, ce qui peut être une faiblesse à la limite. Les gens hypersensibles sont des proies faciles. Tu as peut-être été influencée par une personne mal intentionnée.

– Non. Et je ne suis pas si fragile que ça. Autrement, soyez certaine que je serais morte de peur quand l'ours m'a attaquée. J'ai du caractère, rassurez-vous. Ce que je veux vous dire me vient d'une observation personnelle, de mon intuition, de mon instinct. Je veux juste que vous me disiez que je ne suis pas la première à croire en ce à quoi je crois.

– Sois plus claire alors.

– Je crois qu'il y a un esprit mauvais qui erre dans nos campagnes, une âme errante qui cherche le repos et qui tue pour satisfaire sa vengeance.

L'autre femme agrandit les yeux et reste bouche bée l'espace de quelques secondes. C'est la première fois qu'un patient lui fait de telles affirmations. Elle bredouille enfin :

– Cela me dépasse. Je suis désolée. Je n'ai qu'une suggestion à te faire : va voir un prêtre, c'est de son ressort.

– Vous avez raison. J'aurais dû y penser avant. C'est ce que je vais faire.

Avant de sortir, la grande femme lui dit, pour la rassurer, qu'il ne faut pas s'en faire, que le monde des esprits existe vraiment, qu'il est rempli de mystères inexplicables et que, tôt ou tard, nous y sommes tous confrontés. Elle précise que ce n'est pas fou d'y croire. La jeune fille s'en va, rassurée, après avoir remercié la professionnelle pour l'aide qu'elle lui a apportée. Elle croise Gino dans les couloirs, jasant avec sa mère, une grosse dame toute souriante qui se montre franchement enchantée de voir son fils aux côtés de Sophie Lajoie, la fille du notaire. Il est onze heures lorsqu'ils quittent les lieux. Sophie espère pouvoir parler au curé avant le dîner.

❖　❖　❖

Dominique est en train de raconter à Justin qu'il est porté disparu depuis quatre jours. Justin n'y comprend plus rien, lui qui jure n'avoir gardé aucun souvenir de ces quatre jours. Dans sa tête, c'est le matin du lundi premier août et il est venu ici pour tester l'efficacité du téléphone. Ils sont assis sur le perron, et Michaël, appuyé à la rampe, continue de nourrir ses craintes à l'endroit de cette montagne qui abrite les pires créatures qui soient. Le vieux tente d'expliquer à Justin qu'il a dû s'évanouir en forêt.

– Souffres-tu de diabète ?

– Pas du tout. Pourquoi ?

– Parce que les diabétiques sombrent dans le coma lorsqu'ils sont en manque de sucre.

– Je ne suis pas diabétique, répète le jeune homme très confus.

– D'accord. Alors tu t'es égaré, reprend Dominique qui s'applique à imaginer un scénario plausible. Tu as erré pendant quatre jours et ta mémoire a tout effacé de cet espace de temps.

– Vous voulez dire que je souffre d'amnésie ?

– Momentanément. La mémoire te reviendra sûrement. À la suite d'un choc, il arrive qu'on souffre d'amnésie. Tu as déjà entendu parlé de ça ?

– Oui... répond Justin avec quelques réticences, car il doute que ce soit son cas.

Mais la preuve est là : à sa montre, il est indiqué le cinq du mois et non le premier.

Dominique est attristé de le voir si perturbé, et choqué contre lui-même de devoir mentir si effrontément pour des choses qui le dépassent lui aussi. Mais au moins, Justin leur a été rendu et c'est l'essentiel. Ayant vécu ce qu'on appelle un trou noir, ce dernier ne peut que trouver réconfort et apaisement dans les explications de Dominique, contrairement au chaos total qu'il connaîtrait s'il apprenait l'insoutenable vérité. « Pourquoi n'a-t-il pas été tué comme les autres ? » songe le vieux. Serait-ce un marchandage, une sorte de trêve ou encore, sans s'en rendre compte, aurait-il appuyé sur un bouton invisible qui ramènerait les gens dans la dimension terrestre ? Est-ce l'action des anges ? Tout paraît possible dans le monde de l'obscur.

❖ ❖ ❖

L A réapparition de Justin cause tout un émoi à Jérico. Ces quatre jours d'absence avaient été quatre jours de torture et de désespoir pour ceux qui l'aiment : sa copine, sa famille, ses amis. C'était un réel soulagement, enfin il était là. « Où étais-tu ? » lui demandent les gens tandis qu'il descend à peine de la Mustang rouge. Michaël vient de le déposer à la porte du garage. Il est près de midi. Ses deux employés se joignent aux curieux du village qui l'assaillent de questions. Il a l'air perdu, déphasé, ému. « Je ne sais pas », répond le rescapé en supportant tous ces regards interrogateurs. Les petits vieux semblent s'être donné rendez-vous devant l'établissement. « Allez prévenir la police qu'il est revenu ! » clame un vieil homme à qui peut l'entendre et répondre à sa requête. C'est Paul, l'ami fidèle et employé modèle de Justin, qui s'empresse d'aller téléphoner au poste de police pour annoncer la bonne nouvelle. En moins de temps qu'il n'en faut pour le dire, l'annonce se met à circuler sur les ondes radiophoniques et télévisuelles.

❖ ❖ ❖

C'est maintenant l'heure du dîner. Deux saucisses de porc racornies crépitent dans la poêle de fonte. Veuve Chagnon tranche des pommes de terre cuites et les dispose près des saucisses pour les faire frire. La télévision diffuse le message disant qu'une bonne nouvelle arrive enfin, que Justin Cyr est revenu, qu'il a regagné son domicile, sain et sauf. Il dit aussi que le jeune homme semble avoir perdu la mémoire puisqu'il n'a aucun souvenir de ce qui s'est passé pendant son absence. La vieille dame de mauvaise foi hausse les épaules en faisant la grimace. Elle ne peut cacher son irritation, elle qui pensait que Dominique Lapierre était responsable de cette disparition, qu'il avait tué le jeune homme et l'avait enterré dans la montagne. Ferait-elle fausse route depuis le début en prêtant à

Dominique des intentions criminelles ? Sûrement pas ! Ah non, elle ne va pas se mettre à le blanchir maintenant ! Pauline Sarrasin et Cédric Dumont sont portés disparus depuis un mois et ils ne semblent pas prêts de réapparaître. Apparemment, Justin a eu plus de chance qu'eux. Sans doute a-t-il trouvé le moyen de s'arracher juste à temps aux griffes de son assaillant, lui qui est de forte carrure. Dominique le pervers a rencontré enfin un adversaire à sa mesure ! Dommage que le jeune homme ait tout oublié !

Les médias se sont même rendus jusqu'à Justin pour le filmer et l'interroger. Michaël aussi a eu son heure de gloire. Sa jolie tête d'acteur en devenir crève l'écran lorsqu'il dit qu'il a ramené Justin Cyr à son domicile. On fut étonné d'apprendre qu'il l'avait embarqué au pied de la montagne, sur le territoire de l'ermite. Que faisait-il là-bas ? Quels rapports entretient-il avec le vieux Dominique ? On apprend que Justin transigeait l'achat d'une camionnette avec monsieur Lapierre, mais la présence de Michaël Desormeaux paraît louche. « Ah, je le savais ! » déclare veuve Chagnon. Elle monte le volume et tente de percer le secret qui se cache derrière les yeux verts du jeune homme.

— Je lui ai rendu une visite de courtoisie, dit Michaël de manière affable, un micro devant lui.

— On dit qu'il est dangereux, argumente le journaliste. Vous n'aviez pas peur en allant là-bas ?

— Je voulais constater par moi-même qu'il n'était pas le méchant dont on parle.

— Et toutes ces rumeurs à propos d'une soi-disant implication de sa part dans les meurtres et les disparitions soudaines qui sont survenus ne vous inquiétaient pas ?

— Très peu. En parlant avec lui, j'ai vite compris qu'on s'était fourvoyés depuis le début sur sa nature. Toutes ces accusations à son endroit ne sont que des hypothèses, rien de plus.

« Balivernes ! lance veuve Chagnon à la face de l'écran. Tu n'étais pas là pour voir ce qui s'est passé à l'époque ! C'est un tueur invétéré ! Qui a tué tuera ! » Elle éteint la télévision, ferme le feu, jette sa nourriture dans son assiette et s'assoit pour manger. Elle

mord de rage dans une saucisse plissée, trempée dans le ketchup.
« Ils sont de connivence... songe-t-elle. Ils ont épargné Justin Cyr
pour détourner les soupçons qui pèsent sur eux. Michaël subira
sûrement un procès pour le meurtre de Marco Lacroix. Les parents
du jeune crient justice. Dominique a fait de Michaël son acolyte,
son complice, son successeur. Quelle ruse ont-ils utilisée pour
que Justin Cyr ait tout oublié ? La drogue ? Assurément ! Michaël
Desormeaux vient d'une famille d'athées, d'immoraux qui
n'enseignent que l'excès et le péché. »

Brusquement, ses pensées l'amènent dans une autre direction,
une avenue qu'elle ne fréquente pas souvent, mais que sa mémoire
se rappelle nettement. C'est l'année où Frédéric, son époux, tomba
en dépression. Elle le revoit, alité depuis trois jours, blême à faire
peur, amaigri, affaibli, sans appétit. Ça fait deux semaines que
Catherine Lachance est morte. Amanda le veille, le réconforte,
tente de le sortir de cette léthargie aussi soudaine qu'éloquente à
ses yeux. Il ne veut rien lui dire des causes de son abattement,
mais elle devine ce que c'est : il a le cœur brisé, car il vient de
perdre celle qu'il convoitait secrètement. En femme soumise, fidèle
à ses serments, Amanda lui pardonne son égarement et ne lui
souffle pas mot de ce qu'elle sait. Tout ce qu'elle souhaite, à présent
que sa rivale n'est plus, c'est qu'il se remette sur pied le plus vite
possible, qu'il reprenne en main l'exploitation de la ferme en
homme résolu et qu'il redevienne le père de famille honorable
dont ses jeunes enfants ont besoin. Cependant, la cure est longue
et le rétablissement tarde à venir. Les médecins croient qu'il faudra
l'interner si cela perdure.

Amanda commence à penser que son mari a autre chose sur la
conscience. On parle encore du meurtre de Catherine Lachance et
du mystérieux assassin insaisissable. Ça fait maintenant deux mois
qu'elle est morte. Est-ce que Frédéric l'aimait à ce point ? Connaît-
il le nom de l'assassin et se refuse-t-il à le dénoncer ? Les soupçons
pèsent sur Mario Langlois, mais celui-ci a disparu et l'on ne peut
prouver sa culpabilité. Dominique Lapierre se terre dans la
montagne et pleure sa douce regrettée. Pourquoi tant d'affliction ?
Quelle implication ont-ils dans cette affaire ? L'amour passion peut

tuer parfois. Amanda se met à penser que son époux a peut-être tué Catherine par jalousie. Cette pensée la frappe comme un poignard en plein cœur, et elle est insoutenable. Il lui faut la chasser sur-le-champ. Elle accuse Dominique d'avoir tué Catherine Lachance par esprit de possession et commence sa campagne de salissage. On ne peut rien prouver, mais en peu de temps, il devient le suspect numéro un. L'implication de Mario Langlois tombe aussitôt dans l'oubli. Dominique se voit affublé d'un double châtiment : l'absence définitive de sa douce et l'accusation pour le meurtre de celle-ci. Après une enquête infructueuse, l'affaire est classée. Frédéric reprend des forces, il va s'en réchapper. Un matin d'été, il s'assoit dans le lit, prend sa femme dans ses bras et lui dit qu'il l'aime et qu'il ne la fera plus jamais souffrir. Amanda pleure et lui dit qu'elle l'aime aussi et qu'elle est prête à recommencer à zéro. Il lui confie un secret : « Mario était mon ami. Je ne sais pas ce qui lui est arrivé, mais je sais qu'il aimait Catherine à la folie. J'espère que je ne l'ai pas encouragé au pire… » Ayant enfin trouvé l'homme aimant qu'elle a tant désiré, Amanda lui dit d'oublier à jamais cette affaire et de concentrer ses énergies sur sa maisonnée.

En croquant ses patates rôties, veuve Chagnon sourit, revoyant comme dernières images ses deux jeunes enfants qui sautent sur le lit et se jettent au cou de leur père tout souriant. « Mario Langlois »… murmure-t-elle en mastiquant.

❖ ❖ ❖

Sophie n'a pas pu rencontrer le prêtre avant le dîner, mais il l'a invitée à venir le voir à deux heures de l'après-midi. Souhaitant entreprendre seule cette démarche, elle a promis à Gino d'aller le retrouver pour tout lui raconter dès la fin de l'entretien. Les phlox roses se dressent fièrement en massif au ras des clôtures de pieux qui entourent le grand jardin du curé. Les pruniers sont chargés de fruits presque mûrs, les groseilliers portent quelques baies trop mûres et les pommiers commencent à plier sous le poids des pommes vertes. Grand, souple et beau comme un dieu, le jeune curé, qui s'applique à désherber le potager, aperçoit la nouvelle venue qui arpente tranquillement les lieux. C'est la première fois qu'elle a le privilège d'explorer ainsi les terres sacrées de Jérico. « Viens par ici, Sophie ! » l'appelle le prêtre en tenue estivale. Sophie est étonnée de voir qu'un curé ose porter des bermudas et un maillot. Il a plutôt l'air d'un simple jardinier. Les yeux d'azur du jeune prêtre brillent d'intensité lorsqu'elle arrive près de lui. Le soleil jette des reflets dorés dans son abondante chevelure brune et son large sourire découvre une dentition parfaitement blanche. Il retire ses gants et tend la main droite à la jeune fille qui est sous le charme. Elle serre cette main virile et tendre à la fois, comme tout ce qui se dégage de lui.

– Tu veux qu'on entre pour jaser ? propose-t-il.

– Non.

– Dans ce cas, allons nous asseoir à l'ombre.

Sous un chêne majestueux se trouve un banc de bois laqué de blanc. Ils vont y prendre place. Sophie ne peut s'empêcher de passer cette remarque :

– Ce chêne ressemble étrangement à celui qu'il y a sur le bord de la rivière.

– Tous les chênes se ressemblent.

– Aucun ne ressemble à celui de la rivière.

– Qu'a-t-il de si particulier ? Je sais qu'on se bouscule pour aller se prélasser à son ombre, mais je ne me suis jamais rendu là-bas. Je le ferai un jour. Je suis installé ici depuis peu de temps et je n'ai pas encore découvert toutes les beautés de l'endroit.

– Le chêne centenaire a été témoin de beaucoup de choses, dit-elle. Nos parents et nos grands-parents sont allés se reposer sous ses branches. Plusieurs ont gravé leurs initiales sur son tronc, en gage d'amour. C'est le seul arbre à Jérico qui ait entendu autant de confidences et vu autant d'échanges amoureux.

– Plusieurs en ont fait leur cathédrale...

– Oui... répond Sophie laconiquement.

Il la trouve soudainement bien silencieuse.

– À quoi songes-tu, et que voulais-tu me dire ?

Elle sort de sa torpeur. Le moment est venu de tout lui raconter. Elle sent qu'il sera plus aisé de parler avec lui maintenant qu'elle a osé le faire avec la psychologue.

– C'est au sujet des esprits.

– Quels esprits ?

– Ceux qui vivent dans la forêt et tuent sans pitié.

– Précise ta pensée, veux-tu ?

Sophie parle comme il lui convient de le faire.

– Croyez-vous aux esprits, monsieur le curé ?

– D'abord, appelle-moi Jonathan, c'est mon prénom. D'accord ?

– D'accord... Jonathan.

– Quand tu dis « les esprits », veux-tu dire fantômes, âmes errantes, démons... ?

– Oui.

– Ceux qui tuent... pourquoi dis-tu cela ?

– Parce que je pense sincèrement qu'il y a un esprit, une force mauvaise, un démon qui vit dans la rivière et tue les gens. Je sais que c'est fou, mais je le crois vraiment.

– D'abord je te rassure, le monde des esprits est bel et bien réel. Ensuite, ce n'est pas fou d'y croire, mais il faut faire très attention aux interprétations qu'on en fait. Tout est si relatif. C'est un monde dangereux.

– Je sais ! affirme-t-elle en posant sur lui de grands yeux.

Alors, elle se décide à lui relater les faits, toutes ces choses plus bizarres les unes que les autres qui sont arrivées à Michaël : les racines géantes et meurtrières, les cheveux et le sang dans l'arbre, la mort étrange de Sébastien, la disparition de Pauline et de Cédric. Elle ne lui cache rien et conclut en disant qu'elle a maintenant cette rivière en horreur.

Le jeune prêtre se sent quelque peu dépassé par tout cela, mais tente de ne pas trop le laisser voir. Il cherche à rassurer cette petite qu'il voit bien tourmentée.

– Ton ami Michaël prend-il des médicaments ?

– Pas à ce que je sache.

– Est-il porté à fabuler, à s'inventer de belles histoires juste pour épater la galerie ?

– C'est un acteur en herbe. Il aime bien nous jouer la comédie, incarner des rôles, déclamer des tirades, mais je ne crois pas qu'il ait inventé toutes ces histoires rien que pour se montrer intéressant. Au début, c'est ce que je croyais, mais bien vite, j'ai senti qu'il ne mentait pas. Lui et moi, on s'est fréquentés un bon moment.

– Et vous avez rompu ?

– C'est moi qui ai rompu. Je n'avais plus de sentiments pour lui.

– Et quand a-t-il commencé à parler de ces racines géantes et meurtrières ?

Sophie sait ce qu'il cherche à faire, mais elle n'a pas d'autre choix que de lui répondre honnêtement :

– Ça a commencé après notre rupture.

– Ne crois-tu pas qu'il tente désespérément d'attirer ton attention en inventant ces histoires ?

– Je l'ai cru, mais plus maintenant. Il m'a convaincue de sa bonne foi. Je sais qu'il dit vrai et je sais aussi qu'il est périlleux d'errer près du vieux chêne, aux abords de la rivière... surtout la nuit.

– Pourquoi la nuit ?

– Parce que c'est toujours pire la nuit, non ?

– Les mauvais esprits sont plus méchants ?

– Oui. Ils le sont le jour, alors imaginez la nuit !

Jonathan la regarde à son tour avec de grands yeux.

– Tu me donnes des frissons, ma fille. Moi qui voulais t'aider.

– Dites-moi que vous me croyez. C'est tout ce que j'ai besoin d'entendre.

Il réfléchit un instant. Il sait mieux que quiconque à Jérico que le mal est partout, mais il n'a jamais été confronté à une force mauvaise, un démon, tout comme la majorité du monde d'ailleurs.

Cette jeune fille au regard candide semble si convaincue et convaincante à propos de ce qu'elle avance qu'il ne peut que lui accorder le bénéfice du doute.

– Je ne crois pas que tu mentes, Sophie. Tu as l'air équilibrée et foncièrement honnête. Je crois que ton ami Michaël a encore beaucoup d'ascendant sur toi. Je n'ai qu'une mise en garde à te faire : méfie-toi de lui.

– Vous pensez qu'il m'influence ? Vous faites erreur. Je suis capable de me faire ma propre idée sur les choses. J'ai des sentiments, Jonathan, de l'intuition, de l'instinct. C'est ça qui me parle.

– Alors tant mieux si tu crois en toi. C'est tout ce qui compte. Mon opinion est secondaire. Fie-toi à ton instinct et ne cherche plus l'assentiment des autres. Le monde des esprits existe réellement, et si tu es apte à accueillir l'idée qu'il se manifeste en toute réalité dans ce monde, c'est que tu as la capacité de discerner le bien du mal. C'est un don inestimable. Cultive-le, il te servira à éviter bien des ornières. Si tu en fais bon usage, il suscitera en toi l'esprit de compassion qui t'amènera à être attentive aux autres pour les aiguiller dans leur vie.

– Vous parlez bien ! s'étonne-t-elle, toute ravie du portrait flatteur qu'il lui trace. Je ne regrette pas d'être venue jusqu'ici. La psychologue m'a bien conseillée. Je vais repartir plus forte et plus rassurée. Je savais que je n'étais pas en train de perdre la raison. Merci, monsieur le curé !

Elle se lève et il fait de même. Elle a le regard pétillant comme une enfant à qui l'on vient de donner un cadeau fabuleux. Elle le salue, le remercie encore et part en courant jusqu'à sa bicyclette qui l'attend près de la clôture. Jonathan remet ses gants. Il est content de voir qu'il a su trouver les mots, même s'il a la désagréable impression d'avoir été dépassé par la situation.

❖ ❖ ❖

Alcide Gamache a cessé de s'interroger sur la nature de ce qui est survenu près de la rivière, sur ses terres, et il a commencé le déblayage de cet abattis. À l'instar de Dominique, il se voit contraint de tronçonner de beaux spécimens du monde végétal qui jouissaient d'une santé excellente et n'aspiraient qu'à croître davantage. Ce sont des flâneurs venus se prélasser sous le chêne qui lui ont décrit la scène désolante, disant que la rivière était jonchée d'arbres renversés, cassés, massacrés. On a cru à une tornade. Alcide aussi le pense. Quelle autre explication, sinon ? La camionnette noire du vieux, une Dodge Dakota flambant neuve, est stationnée près de la rivière. De petite taille, souple et énergique, Alcide a le sourcil blanc en broussaille ; il porte une casquette à l'enseigne de l'UPA sur son abondante chevelure grise, et sa mine n'est pas trop défaite malgré l'ampleur du désastre. La majorité des arbres renversés ont la cime qui pointe vers l'est. Il en déduit que c'est un grand vent de l'ouest qui a tout ravagé. Pourtant, on n'a pas parlé de ce phénomène météorologique à la radio, et personne d'autre dans la région n'a rapporté de faits qui s'apparentent à ce à quoi il est confronté. La nature est si imprévisible. Il s'affaire à scier le tronc d'un gros tremble lorsqu'arrive Jonathan, le curé, à bicyclette. Il est plus de trois heures de l'après-midi.

Après le départ de Sophie, ce dernier est retourné biner et sarcler son potager tout en nourrissant l'envie d'aller jeter un œil du côté du vieux chêne et de ladite rivière dans laquelle dormiraient des créatures fantasmagoriques. Est-ce par souci de se familiariser avec les coutumes des gens de la place qu'il est là ou par besoin de prouver que la jeune fille fabule ? Il ne le sait plus. Franchement, il est dépassé par tout ce qu'elle lui a raconté. Même dans son enfance, il a toujours eu du mal à croire au père Noël et il cherchait désespérément à le surprendre, la veille de Noël, en train de glisser sa grosse bedaine dans l'étroite cheminée. Il ne l'a jamais vu et n'y a cru qu'à moitié. Heureusement qu'il croit en Dieu, c'est pratique pour son sacerdoce. Mais il ne croit pas en toutes choses et exprime de grandes réticences face aux phénomènes paranormaux. Il sait que le royaume de Satan existe, que celui-ci se manifeste de manière réelle dans le monde des humains, qu'il prend vie sous une forme ou sous une autre pour atteindre les mortels, mais il a bien des doutes sur le pouvoir qu'il aurait de donner vie à des racines ou à des lianes géantes. À cela, il ne croit pas plus qu'au père Noël. S'il souhaitait voir celui-ci entrer par la cheminée pour être convaincu de son existence, il lui faudrait voir surgir une de ces fameuses racines du milieu de la rivière pour y croire également.

Il sort à peine du sous-bois, appareil photo en bandoulière. On ne sait jamais... Connaissant le vieux Alcide Gamache, et sachant qu'il est propriétaire des lieux, il n'est pas étonné de voir que c'est lui qui fait tout ce boucan avec cet engin tonitruant. L'ayant aperçu, le vieil homme arrête la scie, retire sa casquette pour essuyer son front et s'avance vers le nouveau venu qui vient à sa rencontre. Ils sont sur les bords de la rivière, et l'ombre des peupliers qui ont survécu à la tourmente les ravit en ces temps chauds.

– Vous ramassez votre bois de chauffage ? demande le curé tout bonnement.

– Je n'ai pas le choix, monsieur le curé, le vent a renversé tous ces arbres, répond Alcide en balayant les lieux d'un regard appliqué pour montrer à Jonathan toute l'ampleur des dégâts. (Ce dernier opine du chef en voyant tout cela.)

– Est-ce qu'on peut parler d'une tornade ? fait-il observer, ne connaissant rien au phénomène.

– Quelle autre explication ?

– En effet.

– Quoique... je n'arrive pas à comprendre comment une tornade peut agir de la sorte. Elle n'a pas tout rasé sur son passage. Les tornades rasent tout habituellement.

– C'est ce que je croyais aussi. En effet, c'est étrange.

– Si j'étais superstitieux, je croirais à un phénomène qui nous dépasse.

– Que voulez-vous dire ?

– L'action d'une force mauvaise et dévastatrice. Une sorte de main géante qui arrache et pille de façon sélective, vous voyez ?

Le curé a l'air songeur. Il cogite à cent à l'heure.

– Une main géante ? dit-il.

– C'est une image. Je sais bien que ces choses n'existent pas, je ne suis pas timbré à ce point. Il n'y a que le vieux Dominique qui croit à ce genre de choses.

– Dominique Lapierre ?

– Oui. On dit qu'il a perdu la raison, qu'il parle à l'esprit de Catherine, la regrettée, qu'il croit dur comme fer qu'elle rôde toujours dans la forêt et qu'elle l'attend pour son dernier voyage.

– C'est très romantique.

– Fanatique ! Dominique est fou à lier ! Il est soupçonné de meurtre et d'implication directe dans le cas des disparitions qui sont survenues. C'est ici même qu'ont été vus pour la dernière fois Pauline Sarrasin et Cédric Dumont. Ils étaient venus graver leurs initiales sur le tronc du vieux chêne, celui-là.

Alcide l'amène sous le chêne et lui montre les cicatrices sur l'écorce rugueuse, en disant qu'ils sont nombreux ceux qui y ont tracé un cœur initialé.

– Cela ne vous a jamais dérangé de voir tous ces gens venir ici et faire de ces lieux leur sanctuaire ?

– Mon père a toujours laissé les gens y venir et je me suis accoutumé à cette routine. J'aime les gens en général, mais surtout l'amour, les amoureux, les démonstrations amoureuses. Je suis content qu'ils aient choisi cet endroit pour manifester ce merveilleux sentiment. N'est-ce pas ce qu'il y a de plus beau et de plus noble ?

– Tout à fait. Et je vous félicite de votre grandeur d'âme. C'est remarquable. Aujourd'hui, les gens sont individualistes, ils protègent farouchement leurs biens, refusant qu'on empiète sur leur propriété et ne font confiance à personne. Ils vivent dans des cocons et s'insurgent à la moindre infraction au bien personnel.

– Je tiens ça de mon père. C'était quelqu'un de généreux et d'attentif aux besoins des autres. On m'a déjà proposé d'acheter le site pour en faire un camping municipal. Vous ne saviez pas cela, hein ?

– Bien sûr que non. Je suis arrivé ici depuis peu. J'ai du rattrapage à faire. Et vous n'avez pas vendu ? L'idée ne vous intéressait pas ?

– Pas du tout. Cet endroit appartient aux Gamache depuis des générations. Vendre les terres serait un sacrilège et je suis certain que mon père se retournerait dans sa tombe et m'enverrait un châtiment.

– Ma foi ! Vous êtes plus superstitieux que vous le pensez.

Alcide se met à rire et reconnaît son penchant singulier.

– Je ne peux rien vous cacher, monsieur le curé. Bien que vous soyez très jeune pour un prêtre, vous lisez fort bien dans l'âme des gens. Ma femme dit aussi que je suis porté à fabuler et à croire en des choses impossibles. Je lui fais peur parfois en parlant comme je le fais. Elle croit que je peux attirer le mauvais œil. Croyez-vous à toutes ces histoires ?

Le jeune curé aux yeux d'azur réfléchit un instant et répond :

– Je suis comme saint Thomas, il faut que je voie. Ne le dites à personne, mais cette incrédulité me fait parfois douter de ma foi.

– De votre foi en Dieu ? s'étonne Alcide.

– Pas fondamentalement, mais sur tout ce qui entoure la croyance en ce Dieu que nous connaissons. Puisqu'il existe, ce que je pense intrinsèquement c'est que le reste aussi existe. Les Saintes Écritures le disent. Le reste, c'est le diable et ses légions. Tout cet univers m'est inconnu. Un simple fidèle comme vous en connaît peut-être plus sur le sujet que moi-même, un homme d'Église.

– Auriez-vous peur de ces choses, monsieur le curé ?

– C'est une bonne question. En fait, je crois que vous avez mis le doigt sur le bobo : j'ai peur de croire à quelque chose que je serais le seul à connaître. C'est fou ! Je voudrais y croire, mais je ne voudrais pas être seul à témoigner que telle ou telle chose se soit passée. Vous me comprenez ?

– Très bien. Vous auriez peur d'avoir halluciné ou perdu la raison.

– Il y a tellement de maladies mentales. Ce qui nous dépasse est souvent expliqué de façon médicale par la psychose, la névrose ou la pure folie.

– La démence ! Ne mâchons pas nos mots !

– Exactement, la démence.

Jonathan sort de l'abri du feuillage et va jusqu'à la rivière. Alcide le suit. Le courant est calme, chantant et régulier. Rien ne peut laisser croire que cette eau renferme les créatures dont parle Sophie.

– La rivière Sacrée contourne la montagne, commente Alcide, charmé par le doux murmure et la fluidité apaisante du courant. Elle passe juste en avant de la cabane de Dominique Lapierre. Tout ce qui vient d'ici arrive chez lui. Je suis prêt à parier qu'il a vu passer dernièrement une flopée de branches.

– À cause de la tornade… sûrement. Personne ne visite ce vieil homme ?

– Pas moi en tout cas. Je suis trop superstitieux, probablement.

– Vous craignez qu'il vous ensorcelle ?

– On ne sait jamais.

Ils blaguent, ce qui détend Jonathan, lui qui ne peut chasser de sa tête ce que lui a rapporté la jeune fille aux cheveux noirs. Il ose dire :

– Auriez-vous peur de vous baigner dans cette rivière ?

– Pas du tout ! s'étonne le vieux en le regardant, amusé. Voulez-vous que je vous le prouve ? Il fait chaud, ça me rafraîchirait.

– Non, non, ne faites pas cela. Je vous crois sur parole. Je disais ça pour savoir si vous étiez au courant des rumeurs qui circulent à propos d'une soi-disant créature qui vivrait dans la rivière.

– Une créature dans la rivière ? répète Alcide en s'esclaffant. Ce n'est pas le loch Ness, c'est la rivière Sacrée de Jérico, ni plus ni moins qu'un gros ruisseau qui se jette dans le fleuve Saint-Laurent. Parlez-vous sérieusement, monsieur le curé, ou si vous voulez tester jusqu'au bout mon penchant pour la superstition ?

– Je parle sérieusement, monsieur Gamache.

— Vous avez l'air sérieux, en effet.

Jonathan ne rit pas. En serviteur de Dieu, il éprouve une curieuse sensation à mesure qu'il concentre son attention sur le bassin d'eau bordé d'écume blanche. Il ne peut juger de sa profondeur tellement le fond lui paraît sombre et lugubre.

— Combien de mètres d'eau y a-t-il dans ce bassin ? interroge le prêtre.

— Trois ou quatre, je ne sais pas trop. Tout ce que je sais, c'est que les gens de la place l'ont adopté pour les baignades.

— Il en vient souvent des baigneurs ?

— Assez souvent.

— Et dernièrement, il en est venu ?

— Je ne suis pas là pour faire payer un droit de passage, comme vous le savez, mais je sais qu'il en est venu hier. Un couple. Ce sont eux qui m'ont parlé du désastre.

— Des intrépides.

— Pourquoi dites-vous cela ?

— À cause des disparitions, de la noyade et du meurtre. C'est vous qui me disiez que tout cela s'était produit ici.

— C'est vrai, ça s'est produit ici même, mais en quoi cela empêcherait-il les gens de venir se baigner ?

— Vous êtes inconscient ou vous ne voulez pas voir la réalité ?

— Quelle réalité ?

— Celle qui dit de se tenir loin des lieux où se sont produites toutes ces choses qu'on a du mal à expliquer.

Le curé fixe son regard dans celui du vieil homme et ajoute, le plus sérieux du monde :

— Monsieur Gamache, cet endroit n'est plus ce havre de paix qu'il a été. Une force mauvaise l'occupe.

— C'est ridicule, voyons ! rétorque le vieux qui veut défendre coûte que coûte le patrimoine de ses ancêtres. La main géante dont je vous parlais tout à l'heure, ajoute-t-il, n'est qu'une image que je me suis amusé à peindre. C'est d'ailleurs le genre de farces de mauvais goût qui effraient tant ma femme. Mais vous, monsieur le curé, même si vous êtes jeune, ne venez pas me dire que vous croyez à toutes ces stupidités !

– La croyance vient d'ici, réplique Jonathan en portant une main sur son cœur. Je sens, à l'instant même, que nous ne sommes pas seuls, qu'on nous épie et qu'on pourrait à tout moment s'en prendre à nous. Vous ne sentez pas cela ?

– Non... répond Alcide qui se met à surveiller ses arrières.

Jonathan est à l'affût du moindre bruit suspect. Il fait courir un regard circulaire sur les lieux et observe attentivement le vieux chêne qui se dresse majestueusement devant lui. L'arbre déploie de longues branches tortueuses tel un géant griffu ; il croule sous un manteau de feuilles lourdes savamment découpées et domine toutes les autres espèces grâce à sa majesté et à son allure particulière.

– Qu'a-t-il de si étrange ? chuchote Jonathan en observant minutieusement l'arbre magnifique.

Il croit déceler quelque chose d'anormal. Il fait quelques pas, comme magnétisé par le spécimen végétal, s'arrête et prend une photographie.

– Qu'est-ce qui se passe ? demande Alcide, le voyant s'avancer à nouveau vers l'arbre, l'air hagard.

Jonathan ne répond ni ne s'arrête. Il entre dans l'ombre et attrape une branche basse. Alcide trottine jusqu'à lui.

– Que faites-vous ? questionne ce dernier qui voit le jeune prêtre appliqué à scruter une feuille.

– Regardez, dit celui-ci en tenant une feuille bien étalée au creux de sa main. On dirait qu'il y a un liquide qui circule dans les nervures. Tenez-la bien, je vais faire une photographie.

Alcide couche la grande feuille dans sa main, à la demande de Jonathan qui prend un cliché. Alcide s'applique à étudier la feuille ciselée à son tour, laquelle est toujours accrochée à la branche. « C'est rouge ! » proclame-t-il, confus, obnubilé par le réseau de nervures ayant l'aspect des veines sur le dessus de sa propre main. Jonathan déchire la feuille d'un geste brusque, et les gouttes d'un liquide rougeâtre s'en échappent. Il y trempe son doigt et le porte à sa bouche.

– Du sang ! déclare-t-il sentencieusement.

– Du sang ! C'est impossible ! annonce le vieil homme dont le regard s'agrandit.

Aussitôt, le sol se met à frémir, les branches de l'arbre à s'agiter et les feuilles à cliqueter frénétiquement. « Partons vite ! » crie Jonathan en saisissant le vieux par le bras. Ils sortent à peine de l'ombre que d'énormes racines aussi grosses et aussi ondulantes qu'un boa géant jaillissent du sol, s'enroulent vivement autour d'eux, leur broient littéralement les côtes et les tirent par derrière. En proie à la terreur et à une douleur vive, les deux malheureux crient et tentent de saisir les branches basses qui s'agitent en tous sens comme des bras géants. Ils n'arrivent pas à attraper l'une d'elles et se voient soumis à l'impuissance. Jonathan crie : « Seigneur ! Aide-nous ! » Le vieil homme pleure et supplie aussi le ciel de lui venir en aide. Mais leurs supplications ne trouvent pas d'écho. Tout se passe en quelques secondes. Le sol s'est ouvert au pied de l'arbre en une large et profonde crevasse dans laquelle ils sont entraînés. Jonathan tombe, racle le sol de ses doigts, tente désespérément de s'agripper, mais rien n'y fait. Il est attiré dans l'abîme et le vieil homme aussi. L'appareil photo glisse sur le sol, la tête de Jonathan se dégage doucement de la longue ganse tandis qu'il se sent glisser dans la cavité froide. Alcide vient d'être aspiré brutalement dans les profondeurs de la terre. Jonathan étire la main avant de renoncer, et l'un de ses doigts heurte le déclencheur de l'appareil photo. La dernière image qu'il perçoit avant de sombrer est l'éblouissement causé par la lumière de l'objectif. Le sol se referme finalement sur lui, comme le couvercle d'un cercueil. Plus une trace à la surface de la terre, si ce n'est l'appareil photo qui est resté là. Mais bien vite, il se met à s'enfoncer dans le sol à son tour, comme s'il se trouvait sur des sables mouvants. Il est aspiré intégralement. Rien qu'une petite boucle de courroie reste en surface. Une branche du vieux chêne s'étire soudainement et prend l'allure d'un bras géant au bout duquel se forme une main gigantesque, la même main qui a attrapé Justin et attaqué Michaël. Elle s'allonge jusqu'à la bicyclette de Jonathan, appuyée contre un arbre, la saisit et l'expédie très loin par-dessus la forêt. La scie à chaîne d'Alcide connaît le même sort. Le bras se rétracte, reprend sa forme initiale, et la main redevient feuilles. Ensuite, la liane géante émerge de la rivière, se dresse tel un colosse dans le bassin et dirige sa pointe sous la camionnette. Elle s'enroule autour, l'arrache du sol et la hisse très haut dans les airs. Comme elle l'a fait pour Marco, elle se met à valser de gauche à droite et, d'un coup sec, l'envoie planer loin par-dessus les grands arbres.

❖ ❖ ❖

Dominique échappe la truite qu'il s'apprêtait à remonter à la surface de l'eau en entendant retentir un bruit infernal dans la forêt, de l'autre côté de la rivière. Il porte sa vue au loin, mais ne voit rien. Intrigué, il enroule sa ligne et sort de l'eau. Il a très bien reconnu un fracas de métal. Étrange ! Il a capturé trois truites de grosseur respectable pour son repas du soir et celui de Duchesse. Il remonte le raidillon et dépose son sac sur la table près de la cabane. Il tire un couteau de l'étui accroché à sa ceinture et commence à dépecer ses captures. Duchesse lance un cri dans la forêt et apparaît au-dessus des hautes épinettes qui s'élèvent près de la cabane. « Ça ne sera pas long, ma Duchesse », lui dit le vieil homme en l'apercevant toute pimpante sur sa branche habituelle. Il glisse la pointe de la lame fine au bas-ventre de la truite, remonte jusqu'à la gorge, écarte les parois et retire les viscères qu'il jette dans un seau. Son esprit est alerté par le vacarme qu'il a entendu. Quelque chose lui dit qu'il s'est passé un drame. Un autre ! Il faut qu'il sache ce qui est arrivé. Il précipite donc le repas : il allume le feu dans le nid de pierres, l'alimente de bois sec, dépose la poêle graissée au-dessus et fait frire les truites en les tournant d'un côté et de l'autre. L'oiseau vorace descend sur la branche basse, comme il le fait toujours lorsque monte le fumet, et piaille d'impatience. « Encore quelques secondes, ma fille, et ce sera prêt », lui dit Dominique. Étrangement, cet oiseau apprécie davantage le poisson grillé que celui qui est cru. Le vieil homme l'a vite constaté lorsqu'il l'a apprivoisé, le voyant s'emparer de son repas à même son assiette, tandis qu'il dédaignait le sien qu'il lui avait jeté sur le sol : une belle truite toute fraîche et gluante.

❖ ❖ ❖

Pendant ce temps, au village, on attend impatiemment le retour du curé. Carole, sa servante, l'a vu partir en après-midi pour une randonnée. Il ne lui a pas parlé d'une quelconque destination. Il est cinq heures et il n'est pas encore arrivé. Cela ne lui ressemble pas. Depuis qu'il exerce son ministère à Jérico et qu'il vit au presbytère, Carole est habituée à le voir surgir par la porte d'en arrière, aux alentours de quatre heures trente, lorsqu'il revient d'une randonnée en bicyclette. Il a une demi-heure de retard. Il s'est passé quelque chose. La jeune femme grassouillette ferme le feu sur la cuisinière, en retire les patates et range les steaks dans le réfrigérateur. Elle téléphone à trois de ses copines pour savoir si elles ont vu passer le prêtre, que ce soit pour aller ou pour revenir. Jeanne, l'une des trois, qui demeure à la sortie du village, dit l'avoir vu prendre le Troisième Rang vers deux heures trente, mais ne pas l'avoir vu repasser. Carole raccroche le combiné et songe que son curé a dû pousser la curiosité jusqu'à se rendre au vieux chêne. Carole connaît bien le vieux chêne et le bassin de la rivière Sacrée dans lequel il fait si bon se baigner. Elle craint que le prêtre se soit noyé. Aussi décide-t-elle de s'y rendre sans perdre une minute.

Alcide Gamache aussi manque à l'appel. Son épouse s'inquiète. Elle attendra jusqu'à cinq heures trente, mais s'il n'est pas rentré, elle prendra la voiture et ira directement à la rivière voir ce qui le retarde ainsi. Avant de partir, après le dîner, Alcide lui avait dit qu'il s'en allait là-bas pour scier le bois renversé. Elle n'a pas aimé le voir partir tout seul pour une besogne aussi astreignante. En fait, s'il lui était arrivé malheur, elle se reprocherait le restant de ses jours de ne pas l'avoir accompagné et aidé dans sa tâche.

❖ ❖ ❖

Dominique a terminé son repas qu'il a en quelque sorte expédié. Duchesse a eu droit quand même à ses égards habituels, mais n'a pas profité longtemps de la présence de son maître qu'elle voit en train de longer la rivière tandis qu'elle lisse ses plumes en haut de l'épinette. Dominique veut savoir ce qui a causé ce vacarme avant le souper. Quel était ce bruit de tôle et de métal fracassés ? Pour la circonstance, il porte une carabine en bandoulière, étant donné qu'il s'aventure en forêt et qu'il sait mieux que quiconque qu'elle abrite des créatures sans nom qui peuvent surgir à tout instant. C'est une fin d'après-midi paisible ; la rivière court à ses pieds en clapotant et en creusant une rigole parmi les grosses pierres en surface, qui forment un passage à gué. En aval, un petit pont de bois, sur lequel une camionnette peut passer, rejoint les deux rives, mais il se retarderait en passant par là. Le vieil homme n'en est pas à sa première traversée sur les pierres et connaît chacune d'elles, puisqu'il les a lui-même disposées dans la rivière. Le niveau de l'eau est juste assez bas pour qu'elles se démarquent, alignées à quelques centimètres d'intervalle. Il pose le pied droit sur la première, le gauche sur la deuxième et ainsi de suite. Tout se présente bien. À ce rythme, il aura traversé avant d'avoir eu le temps de crier lapin. Mais voilà qu'il aperçoit un vison au pelage lustré surgissant des broussailles sur le versant qu'il veut atteindre. Alertée, immobile près du rivage, la petite bête jette un regard sur le vieil homme qui s'est arrêté sur une pierre plate. Humant l'air, scrutant la rivière, l'animal plonge vivement dans le courant. Dominique a déjà vu cette scène. En effet, le coyote et la mouffette arrivent, comme ce fut le cas la première fois. Immédiatement, il voit rouge dans sa tête, regarde en amont de la rivière et voit déferler une eau sanguinolente d'une rive à l'autre. Les bêtes se mettent à s'abreuver. Dominique n'ose plus faire un seul geste et aperçoit le sang — puisque c'est ce qu'il avait détecté la première fois — déferler de chaque côté de lui. Le spectacle a des allures apocalyptiques, inquiétantes, hallucinantes. Il se rappelle avoir entendu parler de la disparition des deux jeunes, après avoir vu cette scène, la première fois. Il y a quelques semaines, il ne fit pas le lien direct entre les deux événements, mais aujourd'hui, il est prêt à parier que le sort vient de frapper quelqu'un de la même façon qu'il a dû frapper Pauline Sarrasin et Cédric Dumont. Tout ce sang ! D'où vient-il ?

Assez de bavardage intérieur. Dominique reprend le pas résolument, s'exécutant habilement sur le pont de fortune. Dès qu'il pose le pied sur l'autre rive et qu'il se retourne, il voit le courant entraîner le sang en aval, hors de sa vue, et les bêtes réintégrer l'asile de la forêt. Le vison refait surface et va se cacher aussi dans les bois. Dominique soupire fortement, hoche la tête et laisse son regard se faire happer par l'éclat d'un reflet du soleil sur l'eau. « Était-ce une illusion, Catherine ? » s'interroge-t-il en lui-même. Il est las de tous ces mystères, de tous ces phénomène aussi troublants qu'inexplicables, de toutes ces attaques surprises qui le sidèrent et lui tirent son énergie. « Quand cela va-t-il finir ? À quand cette damnée mission ? » s'écrie-t-il à pleins poumons, levant les yeux vers le ciel. « Catherine ! Dieu ! répondez-moi ! J'en ai assez de tout ça ! Il est temps que ça cesse ! » Il ne reçoit pas de réponse. Enragé, il épaule sa carabine et tire un coup dans le bleu infini. La forte détonation déchire la sérénité des lieux et fait s'envoler une myriade d'oiseaux blancs ressemblant à des colombes. Ils se mettent à voltiger autour de lui, le frôlant doucement à la joue de leurs plumes duveteuses, roucoulant au passage, exécutant des danses aériennes qui ont pour effet de l'amuser, de le faire rire et de faire naître dans son cœur une joie ineffable. Il sait dès lors que ses supplices ont été entendues, que ces oiseaux célestes sont venus l'apaiser, le rassurer et lui dire que tout s'achève, que bientôt il sera délivré de son fardeau. Telle une flèche blanche, les colombes repartent en groupe et vont se perdre dans le firmament. Dominique remet son arme à son épaule et marche jusqu'à l'embouchure d'un chemin de halage dans lequel il s'engage. D'après lui, ce sentier le conduira approximativement à l'endroit où a retenti le bruit.

❖ ❖ ❖

Le visage barbouillé de larmes, Carole est penchée sur le bassin aux eaux profondes de la rivière et prie pour que son curé n'ait pas connu le même sort que le jeune Sébastien. Les policiers sont sur les lieux pour chercher des indices, des signes qui témoigneraient du passage de l'homme d'Église. La bicyclette n'est pas là, aucun vêtement ne traîne sur le bord de l'eau. Rien ne démontre qu'il soit passé par là. Miron et Taillefer ont plongé pour vérifier s'il n'est pas enroulé dans les racines souterraines. Carole attend en priant et en suppliant. Elle n'a pas pu s'empêcher d'alerter les autorités en constatant le retard de Jonathan, et à son grand soulagement, ces derniers ont répondu immédiatement à son appel. On ne lui a pas dit d'attendre en prétextant qu'un léger retard ne justifie pas qu'on s'alarme et qu'on mobilise les forces policières. Dès qu'elle leur a parlé de la rivière Sacrée et des dangers de noyade, ils ont accouru. Trop de drames sont survenus à cet endroit. La disparition d'un prêtre suscite apparemment plus de zèle que celle du commun des mortels. La femme d'Alcide Gamache est là également et cherche son mari. Elle jure qu'il est venu scier du bois en après-midi. D'ailleurs, le bois renversé à demi tronçonné appuie ses allégations. On remarque également des traces de pneus près de la rivière. Laure, l'épouse du disparu, grille nerveusement sa cigarette en tournoyant comme une girouette, ne pouvant s'expliquer pourquoi son mari n'est pas là. Comme il avait été convenu, elle s'est rendue à la rivière de son propre chef, avec sa voiture, et elle est arrivée la première. Contrairement à Carole, elle n'a pas fait appel aux policiers.

– On dirait qu'il n'est jamais reparti, fait observer le chef de police penché sur les traces de pneus.

– Jamais reparti ? Que voulez-vous dire ? demande Laure en rajustant ses lunettes sur son grand nez.

Ses longs cheveux blancs attachés en queue-de-cheval lui donnent des allures indiennes.

– Regardez, il n'y a qu'une trace de roue. Il a roulé jusqu'ici, s'est arrêté et n'est pas reparti. S'il l'avait fait, vous en conviendrez avec moi, il y aurait d'autres traces de pneus.

Maigre et très nerveuse, Laure s'accroupit et constate l'évidence.

– Où est la camionnette dans ce cas ? lance-t-elle, abasourdie, posant sur l'homme de grands yeux globuleux à travers ses verres très épais.

— Bonne question, articule à peine Bilodeau.

« Dieu du ciel ! Merci ! » s'exclame Carole en apprenant, de la part des deux agents qui viennent de remonter à la surface, que Jonathan ne s'est pas fait piéger sous l'eau. Mais aussitôt elle demande :

— Où est-il alors ?

— Ils ne sont ici ni l'un ni l'autre, répond le chef de police en toute autorité. Nous faisons fausse route. Ils sont probablement retournés chez eux à l'heure actuelle.

— Que faites-vous des traces de pneus ? intervient Laure avec fermeté. Il ne s'est pas envolé avec la camionnette. Regardez, dit-elle aux deux agents qui viennent de regagner le rivage.

Toute fébrile, elle leur montre les traces de pneus sur le sol. Carole aussi va voir de quoi il en retourne. Tous constatent l'évidence et l'incohérence de la chose.

— Elle a peut-être glissé dans la rivière, ose prétendre Carole.

— Non, madame, répond Miron. Nous avons fouillé le fond et il n'y a pas de cadavre et encore moins de camionnette, croyez-moi.

Faisant face au mystère le plus total, ils n'ont d'autre choix que de s'en aller. Tandis qu'ils remontent jusqu'à leur voiture, Bilodeau chuchote à ses agents qu'il faudra dorénavant appliquer une surveillance accrue en ces lieux. Trop de choses surviennent en même temps et ça ne peut pas être que le fruit du hasard.

❖ ❖ ❖

Dominique marche depuis un bon bout de temps. Le soleil décline, allongeant tranquillement les ombres. La carabine est lourde. Il la transfère constamment d'une épaule à l'autre. La difficulté pour lui est de se repérer, de savoir quand il doit arrêter d'avancer dans le sentier pour bifurquer à droite. Il sait que le bruit venait plus de l'ouest. Ayant marché encore quelques pas, fatigué et jugeant qu'il est probablement à la bonne hauteur, il quitte finalement le sentier, se glissant entre les sapins pour repartir en direction ouest. La forêt est dense. Il avance péniblement, se faufilant entre les arbres maigrelets plantés comme des carottes dans le jardin. Il casse, écarte, plie les branches qui s'accrochent à la courroie de sa carabine, laquelle glisse de son épaule. Il trébuche contre un tronc sur le sol, se protège le visage d'une gifle assénée par une branche fine, bref il halète lorsqu'enfin il émerge dans une clairière. Rétablissant sa respiration, il s'assoit sur un arbre renversé et écoute. C'est alors qu'il perçoit faiblement, mais nettement, un bruit qui lui est devenu familier, celui de l'avertisseur de la portière d'un véhicule. Il se redresse aussitôt et fonce droit devant, l'oreille appliquée. Cette musique lancinante et redondante, il la reconnaîtrait n'importe où. Il n'a pas à lutter longtemps avec la forêt pour arriver à son but. En apercevant la camionnette noire retournée à l'envers, cabossée, déglinguée, il laisse tomber son arme et s'approche prudemment. Le carillon fait entendre sa musique avec acharnement en procurant une étrange sensation de malaise à Dominique, qui s'empresse de refermer la portière. Cet avertisseur lui parle et l'avertit, justement, qu'il y a quelque chose de bien plus urgent que cette porte à refermer, qu'un drame s'est produit, qu'un homme a été tué et qu'une force maligne a opéré une fois de plus. Le vieux songe à la main géante et imagine facilement celle-ci en train de soulever le véhicule et de l'envoyer planer par-dessus la forêt pour finir sa course en un fracas métallique retentissant. À qui est cette voiture ? Dominique contourne la camionnette et plonge le bras par la vitre cassée du côté passager pour fouiller le coffre à gants. Le permis de conduire d'Alcide Gamache lui tombe entre les mains. Il réfléchit un instant et devine ce qui s'est passé. Il sait que le vieux chêne se trouve sur son terrain et apparemment, ce dernier s'y est aventuré et, comme bien d'autres, a été mortellement frappé par la créature. Ça ne peut plus continuer comme ça. En son âme et conscience, Dominique sait qu'il doit agir, qu'il doit arrêter ce massacre et apporter le repos à cette âme errante qui ne cessera de tuer tant et aussi longtemps qu'elle n'aura pas obtenu réparation. Il est partie prenante dans toute cette affaire et sent l'urgence d'y mettre fin pour que lui-même retrouve la paix. D'abord, il a le devoir de se rendre aux autorités, une fois de plus, pour rapporter ce qu'il sait à propos de cette découverte.

❖ ❖ ❖

Encore une fois, c'est la désolation, la consternation et l'affliction totale à Jérico à cause de la disparition du gentil curé et d'Alcide Gamache. Mais quel châtiment frappe donc cette région ? Quel sortilège a-t-on lancé sur les habitants pour que de telles calamités leur soient faites ? Le message circule à l'effet que les deux hommes auraient peut-être péri de façon mystérieuse à la rivière, près du vieux chêne. On ne peut rien prouver, mais tout porte à le croire. Conséquemment, on recommande aux gens de ne plus s'aventurer sur ces lieux, le temps de faire la lumière sur tous ces mystères. Selon les informations recueillies depuis quelque temps, le chêne centenaire et le bassin de la rivière Sacrée pourraient avoir un lien direct avec tous ces drames qui se sont produits. Bien sûr, on essaie de ne pas spéculer trop vite sur la mort éventuelle des deux derniers disparus, mais on s'inquiète drôlement.

❖ ❖ ❖

Lᴙᴇ Francœur, en ce samedi d'août, n'a pas de courrier à distribuer. Elle s'amène sur la route des Sauvages, tôt en matinée, pour se rendre chez veuve Chagnon, selon le souhait de cette dernière, qui lui a téléphoné à huit heures pour la prier de venir la rencontrer chez elle. Intriguée, un peu réticente, la grosse fille a accepté, au grand bonheur de la vieille dame qui l'a vivement remerciée à l'avance, lui disant qu'elle avait quelque chose de très important à régler. La fourgonnette blanche s'engage dans la cour et veuve Chagnon sort sur le perron. Le soleil est toujours au rendez-vous et ses rayons frappent la tôle blanche du capot de la voiture et éblouissent Lyne qui s'extirpe de l'habitacle. « Viens vite me retrouver, ma fille ! » lui crie la vieille tout excitée sur le perron, bigoudis sur la tête, une tasse à la main. Lyne presse le pas et grimpe l'escalier à la hâte. « Qu'est-ce qui se passe ? demande-t-elle en s'arrêtant sur le perron. Vous avez l'air bizarre. » En fait, Lyne la trouve changée, souriante, joyeuse, ce qui ne ressemble pas beaucoup au personnage qu'elle a appris à connaître. Que cache ce retournement ?

– Veux-tu du café ? lui offre veuve Chagnon avec amabilité.

– Merci. J'en ai bu un avant de partir. Dites-moi plutôt ce que vous voulez.

– Assoyons-nous alors.

Elles s'installent confortablement dans des berçantes sur le perron.

– J'ai à rendre visite à quelqu'un, dit veuve Chagnon.

– Qui donc ?

– Tu vas être surprise, ma fille. Tiens-toi bien... Dominique Lapierre.

– L'ermite ? Celui que vous accusez des meurtres et de tous les crimes de la terre ?

179

– N'exagère pas, ce n'est pas un monstre.

– C'est nouveau !

Lyne n'en croit pas ses oreilles. Pour la première fois, cette vieille femme esseulée consent à reconnaître qu'elle a peut-être exagéré sur la nature du vieux Dominique.

– C'est nouveau, en effet. J'ai fait mon examen de conscience et je crois que j'avais tort. En tout cas, c'est ce que mon intuition me dit. C'est pour ça que je veux aller le voir, pour confirmer ce que je pense et, s'il le faut, me racheter aux yeux de Dominique.

Lyne sourit et observe veuve Chagnon d'un autre œil. Elle a devant elle une femme âgée, compatissante, repentante et de bonne foi qui étire ses lèvres plissées pour siroter une gorgée de café.

– Il va falloir que tu me peignes avant qu'on parte, dit cette dernière avec coquetterie.

Lyne en vient à penser qu'elle s'en va rencontrer un prétendant.

– Ça va me faire plaisir de vous mettre belle, madame Chagnon... excusez-moi, je voulais dire veuve Chagnon.

– Laisse tomber la veuve. Frédéric est mort depuis longtemps et il dort en paix. Madame Chagnon fera l'affaire.

– Très bien.

❖ ❖ ❖

Malheureusement pour madame Chagnon, c'est sur une porte verrouillée qu'elle va tomber, car Dominique est en route pour le village. À pied, il remonte tranquillement le Troisième Rang et songe à la camionnette bleue qu'il s'en va acquérir. Maintenant que Justin est revenu, il veut conclure le marché qu'ils ont passé ensemble. Aussi, il doit avertir les autorités qu'il a trouvé la camionnette d'Alcide Gamache. Pour ce faire, il téléphonera directement du garage. Heureux hasard ou jeu du destin, Michaël passe par là et le fait monter. En route, ils discutent du cas de Justin Cyr et des mystères qui entourent les circonstances de sa singulière absence. Ayant fait le tour de la question, ils en concluent que l'entité mauvaise doit avoir une faiblesse quelconque, une faille qu'ils ont trouvée sans l'avoir prémédité. Dominique revoit le sang qui giclait de la main géante lorsqu'il tentait de la tronçonner. Il songe que la créature a peut-être un besoin immense de sang pour s'alimenter et qu'en cas de fuite substantielle, elle peut se vider de son énergie vitale et de son essence démoniaque. En d'autres mots, plus elle perd de sang, moins elle est forte et plus sa nature se bonifie.

❖　❖　❖

Sophie est très attristée d'apprendre que Jonathan est porté disparu. Accompagnée de Gino, elle s'est rendue au presbytère, tôt en matinée, et Carole leur a raconté que le curé était, selon toute apparence, allé voir le vieux chêne près de la rivière. Sophie est ressortie du presbytère avec un poids sur le cœur. Si elle n'était pas venue rencontrer le prêtre pour lui parler comme elle l'avait fait, peut-être n'aurait-il jamais eu la curiosité d'aller là-bas, et sans doute serait-il là aujourd'hui à profiter du beau temps pour travailler dans son jardin.

— Mourir si jeune... il était si gentil, si doux, si attentionné...

— De qui tu parles ? interroge Gino à l'endroit de la jeune fille dont les grands yeux bruns sont voilés de regrets.

— Je parle de Jonathan, le curé. Tu sais ce que je lui ai raconté hier ? C'est de ma faute s'il est allé là-bas. J'ai éveillé la curiosité du serviteur de Dieu qu'il était. Comment pouvait-il rester indifférent à mes propos ? J'avais l'air tellement convaincante. Il fallait qu'il se rassure.

— Tu n'as rien à te reprocher, lui dit le jeune homme en posant sa main sur celle de Sophie.

Ils sont assis dans l'herbe, au sommet d'une côte qui surplombe les grands champs de culture à la limite desquels la montagne dresse sa masse arrondie. La route principale passe derrière eux et leurs vélos semblent attendre, appuyés à la clôture de pieux. Sophie tire sur les brins d'herbe, la mine défaite, le cœur dans l'eau. Gino est triste aussi de voir combien elle se fait du mauvais sang depuis quelque temps et déplore qu'elle ne puisse décrocher de tout ça pour être heureuse et profiter du reste des vacances.

– Rien ne prouve qu'il soit mort, dit-il.

– Je le sais bien, mais moi je dis qu'il l'est. Tout comme monsieur Gamache. Ils ont fait l'erreur de mettre le pied à cet endroit.

– Nous y sommes allés également et il ne nous est rien arrivé. On a même plongé dans la rivière. Toutes ces histoires de lianes géantes ne sont que de pures inventions de l'esprit tordu de Michaël. Rends-toi compte ! Sinon, pourquoi aurions-nous été épargnés et pas eux ? Peux-tu répondre à ça ?

Elle hoche la tête avec nonchalance et bredouille :

– La créature dormait... je ne sais pas...

– Tu dis n'importe quoi. La créature ne dormait pas, elle n'existe pas. C'est tout.

– Elle n'avait plus faim ! affirme Sophie, d'un seul coup, frappée d'une certitude.

– Plus faim ? répète Gino, sceptique.

– Exactement. Peut-être était-elle rassasiée et sommes-nous passés au moment opportun. D'autres vont se baigner dans le bassin et ne se font pas tuer. D'ailleurs, la majorité des baigneurs du coin n'ont rien à reprocher à la rivière ni au vieux chêne. Au contraire, ils chantent leurs louanges depuis des lustres. On n'a rien inventé en allant là-bas. Bien d'autres l'ont fait avant nous.

– Jérico est réputé pour avoir perdu des citoyens.

– Tu veux parler de gens qui auraient disparu ?

– Oui. Mon père a souvent parlé de ce phénomène particulier à Jérico.

– Si je comprends bien, tu admets qu'il y a quelque chose d'anormal dans la région ?

Gino s'arrête pour réfléchir un instant. Elle a raison, il vient de dire que les disparitions à Jérico ne datent pas de la veille.

— Caroline Maltais...

— Qui est-ce ? s'étonne Sophie, qui n'a jamais entendu prononcer ce nom de toute sa vie.

— Une personne qui a disparu. On ne l'a jamais retrouvée. Je vais te confier un secret : c'était la maîtresse de mon oncle Damien, le frère de ma mère. Cette Caroline est arrivée un beau matin pour chercher du travail à la fonderie, et comme mon oncle Damien travaillait là-bas, il s'est organisé pour la faire embaucher. Pour le remercier de sa bonté, Caroline lui offrit ses faveurs. Tu vois le tableau ? Ils se sont vus souvent, à l'insu de ma tante Flaure.

— Qui t'a parlé de ça ?

— Je les ai surpris à quelques reprises près de la rivière. J'étais jeune et je partais souvent en bicyclette pour aller pêcher là-bas.

— Ton oncle Damien, c'est lui qui est interné en psychiatrie ?

— Oui. Je crois que la disparition de sa Caroline l'a rendu fou.

— Crois-tu vraiment que ce soit cela ?

— J'en suis sûr. D'ailleurs, je suis peut-être le seul à connaître la vraie raison qui l'a précipité dans la folie.

— Je ne crois pas que ce soit cela la vraie raison.

— Que crois-tu ?

— Qu'il était là quand Caroline s'est fait tuer par la chose, qu'il a été assez chanceux pour s'échapper, mais qu'il n'a pas pu assumer cette réalité. Pense à Michaël et aux tourments qu'il vit depuis qu'il dit avoir vu les lianes.

— Michaël n'est pas une référence et mon oncle Damien n'a jamais parlé de lianes ou de quoi que ce soit du genre. Je me souviens qu'un matin d'été, on a dit que Caroline Maltais avait disparu ; on l'a cherchée, mais on ne l'a jamais retrouvée. Mon oncle a perdu le goût du travail et a fait une dépression. Ma tante Flaure disait qu'il ne dormait presque plus, que quand il arrivait à trouver le sommeil, il se réveillait en sursaut la nuit, aux prises avec d'effroyables cauchemars et qu'il délirait. Elle n'a eu d'autre choix que de le faire interner. Ça fait sept ans déjà.

– J'aimerais bien savoir sur quoi il délirait. Il n'en est jamais ressorti de cet institut ?

– Jamais. Je crois aujourd'hui que ma tante Flaure a découvert, un jour, que son mari l'avait trompée avec Caroline, et pour se venger, elle a tout fait pour qu'il croupisse dans cet asile.

– Pauvre homme ! Et dire que la vérité est tout autre.

– Tout autre ?

– Il sait.

– Tu parles encore des lianes ?

– Oui.

Ils s'offrent un moment de silence, puis d'un même souffle ils annoncent : « On va aller lui rendre visite ! »

❖ ❖ ❖

Posté derrière le comptoir, Justin voit, par la vitrine, repartir la Mustang rouge et Dominique Lapierre marcher vers l'entrée. Il va au-devant de lui, ouvre la porte et l'invite à entrer.

– Vous êtes venu pour conclure les marchés ? s'empresse de dire Justin tout ragaillardi, avec des airs de quelqu'un dont la vie n'est qu'un long fleuve tranquille.

– Oui. C'est aujourd'hui que je prends possession de la Chevrolet. Mais avant, puis-je téléphoner ?

– Je vous en prie.

Le téléphone est sur le comptoir. Dominique y pose la main.

– C'est très personnel, se permet de dire le vieux.

– Je vous laisse, dit le jeune homme en s'effaçant derrière la porte qui communique avec le garage, d'où retentissent des coups de marteau portés sur une enclume.

Dominique trouve le numéro du poste de police et le compose sur le clavier. Lorsqu'une voix féminine lui répond, il demande à parler au chef. Bilodeau vient en ligne :

– Qui est à l'appareil ?

– Dominique Lapierre.

– Enfin, vous êtes disposé à passer aux aveux.

– Aucunement. Je vous appelle pour vous signaler que j'ai trouvé la camionnette d'Alcide Gamache dans la forêt.

– Que fait-elle là ?

– À vous de me le dire. Si vous voulez savoir où elle est, venez me rejoindre à la cabane cet après-midi. Pour l'instant, je transige l'achat de ma future camionnette.

Puis il raccroche. Justin revient. Les marchés sont vite faits. Tout ce qui a été entendu auparavant demeure immuable. Dominique demande à Justin de l'accompagner à la banque et au bureau des véhicules. Lorsqu'ils reviennent, Paul et Sam, les employés du garage, sortent pour aller les voir tandis que Dominique s'apprête à monter à bord de sa nouvelle acquisition. Justin vient de lui remettre les clés ainsi que le téléphone cellulaire.

– Vous ne nous aviez pas menti, constate Paul en le gratifiant d'un petit sourire timide.

– Merci de nous l'avoir ramené, ajoute Sam en tapant l'épaule de Justin.

– Remerciez le ciel, répond Dominique en montant à bord. Tu vas venir chercher la vieille Dodge, comme convenu ? dit encore celui-ci à l'endroit de Justin.

– Personnellement et avec la remorque. À propos du téléphone, n'oubliez pas de le recharger au besoin dans l'allume-cigarettes. Et quand vous aurez une minute, ajoute-t-il, on ira transférer tout ça à votre nom. D'accord ?

– D'accord. Merci beaucoup. Ce fut un plaisir de faire des affaires avec toi. Je te revaudrai ça.

– Je ne suis pas perdant. Je suis sûr que votre vieille camionnette a encore des morceaux en bon état.

– Tant mieux. Elle est à toi. Je te l'ai dit, je te la donne.

Appauvri de quinze mille dollars, mais fier comme un paon, Dominique s'en va au volant de son super bolide, sous les yeux ravis des trois hommes, et sous les regards méprisants des fouineurs qui traînent aux alentours et le voient parader sous leur nez.

« Que s'est-il passé ici ? » s'exclame Lyne Francœur, se voyant contrainte d'arrêter sa course dans le sentier de Dominique à cause des arbres renversés qui restent. Amanda Chagnon n'ose pas proférer un seul son, déjà que le fait d'être sur le territoire de l'ermite l'impressionne beaucoup. Elle ne croyait pas ressentir un tel malaise en venant ici. Elles descendent de voiture . Lyne retire ses verres fumés et va vers Amanda qui avance prudemment, aidée d'une canne ; ses cheveux blancs sont tout bouclés et elle est vêtue d'un pantalon et d'une blouse blanche. La prenant par le bras, Lyne lui dit qu'il faut traverser l'amas d'arbres renversés pour accéder à la cabane du vieux.

– Je ne pourrai jamais y arriver ! s'oppose farouchement la vieille dame en toute lucidité.

Lyne opine du chef. Il faut trouver une autre voie d'accès.

– Et si l'on passait par la forêt ? dit-elle.

– Il ne faut pas se perdre, répond Amanda, qui ne cache pas ses craintes.

Ainsi, elles quittent le sentier en contournant une corde de bois fraîchement fendue et entrent dans l'ombre bienfaisante de la forêt. L'accès est plus facile. Dominique a bien entretenu son lot. Pourquoi s'est-il acharné à circuler par le sentier en luttant avec toutes ces branches et ces troncs qui le jonchent, puisqu'il lui aurait été beaucoup plus simple de le contourner ? Allez savoir ! Par acharnement ? Par esprit d'orgueil et d'affirmation contre la créature démoniaque afin qu'elle comprenne qu'il n'abdiquera jamais devant sa perversité ? Ou bien par peur... peur justement que ladite créature ne surgisse dans la forêt. Elle a renversé les arbres, certes, mais ne s'est jamais montrée. Elle a marché aux côtés du vieil homme en gémissant et en râlant, mais jamais elle n'a quitté l'asile de la forêt. Est-ce donc qu'elle s'y terre ? « Mes belles boucles », déplore Amanda qui passe une main dans ses cheveux, alors qu'une branche d'épinette vient de la décoiffer au passage. « Damnée forêt », dit-elle encore, s'arrêtant. Elle s'appuie sur sa canne et tamponne, à l'aide d'un mouchoir, son visage rougi par l'effort. La grosse fille en culotte courte frotte ses bras nus dont la peau est picotée de petits points rouges.

– Je suis allergique aux aiguilles d'épinette, dit-elle en grattant fort.

– Plus tu vas gratter, plus ça va chauffer. Rendue à la cabane, tu appliqueras de l'eau fraîche là-dessus. Si on peut finir par y arriver...

– Ça ne devrait plus être très long.

– Sommes-nous dans la bonne direction au moins ?

– Oui. Le sentier passe juste à côté. N'ayez crainte, c'est impossible de se perdre. Tantôt, on reprendra le sentier lorsqu'on aura dépassé tous ces arbres renversés.

– Tu es déjà venue ici ? lui demande Amanda, qui réalise combien elle semble familière avec le coin.

– Une fois, oui.

– Pour y faire quoi ?

– Rien de spécial. Une démarche personnelle.

– Comme moi aujourd'hui ?

– C'est à peu près ça.

Elles reprennent le pas.

– Si on m'avait dit qu'à mon âge je serais là à me traîner avec une canne dans cette forêt, je ne l'aurais jamais cru. D'ailleurs, il n'y a pas si longtemps, cette expédition était la dernière chose à laquelle je songeais.

– Qu'est-ce qui vous a motivée à ce point à venir ici ?

– Je te l'ai dit, une prise de conscience. La mémoire est une faculté extraordinaire, mais si on s'acharne à dénier tout ce qu'elle nous renvoie, à quoi sert-elle ? Vient un moment où il faut savoir entendre et dire les vraies choses. La haine, le mensonge, le ressentiment et la vengeance ne sont que des outils pour fabriquer nos malheurs. Je remets à César ce qui appartient à César.

– Dans votre scénario, qui est César ?

– Quelqu'un que tu n'as pas connu, ma fille, et que tu n'avais pas à connaître d'ailleurs, Dieu merci !

– Encore des mystères... soupire Lyne en marchant lentement au rythme des pas chancelants de la vieille dame.

– La vie est un mystère, conclut cette dernière, circonspecte.

❖ ❖ ❖

Le temps file et Dominique vient d'arriver à la lisière du bois. Il est dix heures passé. Enfin, il ramène son fabuleux cadeau au bercail. La belle camionnette bleue s'engage dans l'étroit sentier en se dandinant comme un jars. Il roule jusqu'à ce qu'il s'arrête en apercevant la fourgonnette blanche de Lyne Francœur, qu'il reconnaît. Il se stationne en arrière et débarque. « Elle est à la cabane », songe-t-il. Sachant que Justin viendra bientôt chercher la vieille camionnette, il s'applique, non sans efforts, à transférer le gros coffre en bois, dans lequel il garde ses outils, dans la boîte arrière de son nouveau véhicule. Ceci étant fait, il file à la cabane.

❖ ❖ ❖

– As-tu entendu ? questionne subitement Amanda en s'arrêtant net.

– Non, répond Lyne qui s'arrête aussi.

Elles n'ont pas encore regagné le sentier. En fait, elles s'en sont un peu éloignées sans trop le savoir.

– J'ai entendu un drôle de bruit provenant de là-bas, ajoute la vieille dame alertée en pointant le sud.

– Ce doit être le cri d'un oiseau, d'une pie ou d'un geai bleu.

– Tu penses ? marmonne Amanda qui reprend le pas doucement, pas trop certaine qu'elle ait entendu crier un oiseau.

En fait, elle est incapable de dire ce qu'était ce bruit, cette plainte...

– On va pouvoir retourner dans le sentier maintenant, annonce Lyne, soulagée.

– C'est pas trop tôt. Je dois être toute décoiffée avec ces maudites branches qui nous fouettent le visage, et j'ai les mains égratignées jusqu'au sang.

Lyne rit et abonde :

– Moi aussi je dois être laide à faire peur.

– Merci de dire ça ! s'empresse de répondre madame Chagnon. Je dois pas être trop jolie !

Elles rient un bon coup. Amanda lui semble tellement sympathique ce jour-là que Lyne aurait le goût de faire d'elle sa grand-maman d'adoption. Cahin-caha, elles avancent en direction de ce qui leur paraît être la voie pour faire irruption dans le sentier, mais bien vite, elles réalisent avec horreur qu'elles sont perdues, qu'elles ont pris une autre tangente et qu'elles tournent en rond. « Malédiction ! » clame Amanda en frappant le sol du bout de sa canne.

❖ ❖ ❖

Dominique a cherché partout, dans la cabane, dans les appentis, mais il n'a pas trouvé Lyne. Elle ne peut pas être loin. Évidemment, il ne peut pas savoir qu'Amanda Chagnon est avec elle, mais il continue de croire que la jeune fille a dû s'aventurer dans les alentours pour explorer un peu, en l'attendant. « Lyne ! Lyne Francœur ! » appelle-t-il d'une voix forte, au-dessus du raidillon. Et comme il n'obtient pas de réponse, il descend la côte, va jusqu'à la rivière et cherche s'il ne la verrait pas. Rien, elle demeure introuvable. Mystère ! Ah non ! pas une autre disparition ! Pas un autre mystère ! Et les policiers qui s'amènent sous peu ! Dominique panique, remonte jusqu'à la cabane, entre à l'intérieur, s'agenouille près de son lit et prie. Il n'y a que ça pour apaiser la tourmente de son pauvre cœur prêt à éclater sous la pression.

❖ ❖ ❖

– Il faut sortir d'ici ! affirme Amanda en tournoyant, l'épuisement et la terreur se peignant sur son visage écarlate.

— Surtout, ne paniquons pas, dit Lyne pour la calmer.

— Facile à dire ! La nuit va tomber et on va encore être là à girouetter dans cette forêt.

Lyne consulte sa montre.

— Il est à peine onze heures, madame Chagnon. On a suffisamment le temps de retrouver notre chemin avant la nuit. La rivière n'est pas loin. Si on la trouve, on la suit et elle va nous mener directement à la sortie.

— Quelle sortie ?

— Soit qu'on la suive et qu'elle nous mène à la cabane de monsieur Lapierre, ou bien dans l'autre direction, elle nous conduit au village.

— Au village ! Je ne pourrai jamais marcher jusque-là ! Je suis épuisée à l'heure actuelle.

— Alors, assoyons-nous et réfléchissons.

Amanda y consent. Elles trouvent un arbre déraciné sur lequel elles s'installent. À peine ont-elles lâché un souffle que la vieille dame s'alerte :

— Tu as entendu cette fois-ci ?

— Quoi ?

— Le même cri que tantôt. Je viens de l'entendre encore. Il venait de cette direction.

Frêle comme une enfant, l'air affolé, Amanda pointe à nouveau le sud.

— Je n'ai rien entendu, répond Lyne, qui commence à croire que la vieille dame est le jouet de sa propre imagination.

— Tu es sourde, ma parole ! rétorque Amanda, qui commence à perdre patience. Je t'ai dit que j'ai entendu un bruit, un son lugubre, une plainte, un soupir... je ne sais plus comment le dire...

— Calmez-vous, la prie Lyne en passant son bras sur les maigres épaules de sa compagne.

— Je vais attraper mon coup de mort ici, geint la vieille dame qui frissonne. Tu n'as pas froid, toi ? Moi je suis frigorifiée.

– C'est le trac. Respirez un bon coup et ça va passer. Il fait vingt-cinq degrés aujourd'hui. C'est un frisson de peur que vous avez là. Faites-moi confiance, on va s'en sortir. Reposons-nous un peu et on reprendra le pas tantôt.

– Pour aller où ?

– En bas, à la rivière.

❖ ❖ ❖

Gino et Sophie n'ont pas perdu une minute. Dès que leur décision fut prise, ils sont retournés au village, sont montés en voiture et ont filé en direction de Lucille-Ville, la ville voisine de Sainte-Claire, là où se trouve l'établissement où est gardé l'oncle Damien. Comme il n'y est jamais allé, Gino tâtonne un peu, mais il trouve finalement la bâtisse : une immense construction en pierre assise en plein milieu d'un jardin extraordinaire. Tout le périmètre est fermé par un muret de pierre de plus de trois mètres de hauteur. Une vraie prison. Un gardien leur ouvre la grille d'acier. Remontant l'allée centrale qui mène aux portes principales, ils sont à même de voir plein de gens : des infirmiers et des infirmières tout de blanc vêtus qui poussent des malades en fauteuil roulant, leur lancent un ballon comme à des enfants, ou simplement les surveillent tandis qu'ils cultivent la terre avec le regard vide et apeuré que provoque la maladie.

– C'est lui ! s'écrie soudain Gino en montrant un homme accroupi près d'un bouquet de framboisiers, faisant la cueillette.

– Allons le voir, s'empresse de dire Sophie tout excitée.

Gino roule jusqu'au bout de l'allée et s'arrête. Ils descendent de voiture. Une femme, dans une tenue qui leur indique qu'elle est d'un statut supérieur, les voit et va à leur rencontre.

– Bonjour. Je suis madame Savoie, la directrice, dit-elle d'entrée de jeu, leur serrant la main. Que puis-je pour vous ?

– Nous voulons voir Damien Frenette.

– Vous êtes de la famille ?

– C'est mon oncle, répond fièrement Gino.

– Très bien. Suivez-moi.

Ils traversent le jardin sur une bonne longueur, sous les regards sournois, craintifs ou apeurés que leur lancent des malades jumelés à un accompagnateur. Les rosiers et les rocailles de vivaces abondent de couleurs et de parfums. C'est un réel ravissement, mis à part ces pauvres êtres torturés qui vivent en ces lieux comme des bêtes traquées. « Le voici », annonce madame Savoie en désignant cet homme penché sur les framboisiers. Une infirmière est là, assise sur un banc, et elle lit tranquillement en le surveillant. La directrice lui dit que monsieur Frenette a de la visite et elle repart en saluant les visiteurs. « Je me présente, dit la jeune femme en habit blanc qui se lève pour les accueillir, toute souriante. Je suis garde Lamarche, pour vous servir ! Avec tous les escaliers qu'il y a ici, il faut que je garde la marche, n'est-ce pas ? » Et elle s'esclaffe. Ils ont affaire à une comique. Gino et Sophie rient aussi.

– J'aime bien détendre l'atmosphère. C'est dans mon tempérament. Ça prend beaucoup d'humour pour faire le métier que je fais. Avec tous ces malades, ce n'est pas toujours gai. Il faut faire tomber la pression, un moment donné, et c'est par le rire et la plaisanterie que je le fais.

– Vous avez raison, dit Gino.

– Vous êtes de la famille de Damien ? demande garde Lamarche.

– Son neveu.

Sophie n'a d'yeux que pour cet homme d'une quarantaine d'années qui n'a pas trop mauvaise mine malgré tout. Elle songe qu'il devait être bien séduisant à une certaine époque. Cela lui brise le cœur de le savoir emprisonné ici, à tort. Ce dernier ne semble pas s'être rendu compte de leur présence, trop appliqué qu'il est à sa tâche.

– Peut-on lui parler ? demande vivement Sophie.

– Certainement.

– Monsieur Frenette, l'appelle l'infirmière, il y a de la visite pour vous.

Il lève les yeux sur eux, plisse le front et tire un fruit distraitement de la branche. « Il n'a jamais de visite, déplore la préposée. Allez lui parler, il n'est pas dangereux. »

Ils s'approchent tous les deux. Gino esquisse un sourire. Sophie marche derrière. Damien se redresse bien droit, les dévisage, et ses yeux noirs se mettent à s'embuer. Il tend les bras et balbutie :

– Gino... Gino...

– Oui, mon oncle. C'est moi, Gino.

– Gino... Gino..., répète le pauvre homme tandis que Gino s'empresse d'aller le serrer dans ses bras.

Sophie est émue jusqu'aux larmes. Garde Lamarche pleure sur le banc. Après les effusions, ils vont s'asseoir tous les trois sur un autre banc, cachés derrière un bosquet de viorne, à l'abri des oreilles et des regards indiscrets. Gino lui présente Sophie et celle-ci lui demande d'emblée :

– Pourquoi est-ce qu'on vous garde ici ?

– Parce que je suis malade, répond-il en baissant ses grands yeux embrouillés par les larmes et la médication.

– C'est une erreur, réplique-t-elle aussitôt.

Il la regarde étrangement.

– Ne va pas trop vite, Sophie, intervient Gino.

Celui-ci reprend la parole et raconte à son oncle ce qu'il sait à propos de son escapade avec Caroline Maltais et lui demande si la disparition de cette dernière est la seule cause de son internement. « Oui », répond-il sans hésitation, scrutant à nouveau le sol. Sophie voit la peur en lui et devine qu'il n'a jamais osé formuler tout haut ce qu'il sait sur les lianes et tout le reste. « Elle a été tuée par quelque chose près de la rivière », lance-t-elle à brûle-pourpoint. Il relève la tête, la regarde, éberlué, bouche bée. Sophie supporte son regard et ajoute avec conviction :

– Dernièrement, des racines géantes et meurtrières ont tué des gens dans la rivière Sacrée à Jérico.

– Non, soupire-t-il, las, prenant sa tête à deux mains.

Elle le force à l'écouter et ajoute :

– Vous n'êtes pas fou. Ce que vous avez vu est vrai. Il y a réellement des lianes géantes qui tuent. Votre place n'est pas ici. Vous vivez en croyant être fou, mais vous ne l'êtes pas. En restant ici, vous vous enterrez vivant. Il faut vous échapper.

– Sophie ! intervient à nouveau Gino, qui croit par moment qu'elle est en train de l'abuser par ses propres chimères. Tu n'as pas de preuves, précise-t-il.

– Nous en aurons, décrète-t-elle, je m'en charge. Si je dois y laisser ma peau, eh bien, je la laisserai. Au moins, j'aurai sorti ton oncle de cet enfer.

– Aimeriez-vous retourner à Jérico ? lui demande Sophie.

Il répond par l'affirmative en hochant la tête, et ses yeux s'éclairent d'une toute petite lueur d'espoir. « Elle était bien jolie, se met à raconter Damien, soudainement, d'une petite voix teintée de nostalgie. Elle était brune et douce comme un petit chat, contrairement à Flaure qui me criait sans cesse par la tête. Je l'emmenais à la campagne où nous rêvassions d'un exil. Un jour, je lui ai fait connaître le vieux chêne et la rivière. Tout de suite, elle est tombée amoureuse de l'endroit et nous y sommes retournés souvent. On a même gravé nos initiales sur le tronc du vieux chêne, et c'est là que… » Il hésite, sa respiration devient difficile, il tortille ses doigts et crache péniblement : « La chose l'a attrapée et a voulu m'attraper aussi… » Il s'énerve et continue son récit, submergé par l'émotion : « Je me suis débattu et j'ai réussi à m'arracher à l'emprise de cette immense racine qui essayait de s'enrouler autour de moi. Je ne vous mens pas, elle était aussi grosse que ma cuisse et se mouvait tel un serpent. Alors, le sol s'est ouvert au pied du chêne et j'ai vu ma Caroline y être ensevelie vivante. Si vous aviez entendu ses cris, c'était atroce ! Je suis reparti, démoli. » Il pleure, secoué de spasmes terribles. « Vous n'aviez jamais parlé de ça à personne ? » lui demande Sophie en lui touchant affectueusement la main. Étouffé par les sanglots, il répond par la négative, d'un signe de tête. Ils le laissent pleurer tout son saoul tandis que Sophie continue de lui répéter qu'il n'a pas rêvé ça, qu'il n'est pas fou et que la chose, la créature, les racines meurtrières frappent et tuent encore et qu'il faut les arrêter une bonne fois pour toutes. Gino croit de plus en plus à cette folle histoire. Cette journée-là, ils quittent l'institut en promettant à Damien de revenir le chercher bientôt.

❖   ❖   ❖

Dominique est retourné près de la voiture de Lyne pour s'assurer qu'elle y a laissé les clés. Elles sont sur le contact. Avant que Justin arrive pour le remorquage, il prend l'initiative de déplacer la fourgonnette pour libérer le passage et il va la stationner à l'embouchure d'un chemin de halage à quelques mètres de là. La sienne, la Chevrolet, est rangée à la lisière du bois. Il sera bientôt midi. Lyne Francœur n'a pas encore donné signe de vie. Le vieux est réellement inquiet. Il n'aura d'autre choix que de la déclarer disparue aux policiers lorsqu'ils arriveront. Pour l'immédiat, puisqu'il ne peut rien faire de plus, il faut qu'il termine le déblayage du sentier. Il a hâte de pouvoir y circuler librement à pied comme en voiture. Mais pour ce faire, il lui faut les forces et les énergies qu'un bon repas pourra lui apporter. Il retourne donc à sa cabane.

❖   ❖   ❖

– Qui m'appelle ? demande soudainement Amanda en s'immobilisant, plantant sa canne dans l'humus, l'oreille tendue.

Lyne lui tient le bras, s'arrête aussi et l'interroge.

– Encore ce bruit ?

– Oui. Cette fois, j'ai entendu mon nom. Tu ne l'as pas entendu, toi ?

– Non.

– Dieu du ciel ! Je perds la raison ou bien j'ai l'oreille plus développée que toi. À mon âge, quand même !

– C'est peut-être monsieur Lapierre qui nous appelle. Il a dû voir ma voiture.

– Il aurait crié ton nom, pas le mien. Il ne sait pas que je suis ici. D'ailleurs, comment pourrait-il seulement l'imaginer ? Lui et moi sommes à couteaux tirés depuis toujours.

– Alors vous avez mal compris ; ce n'est pas votre nom qu'il a crié, mais le mien.

– Lyne et Amanda... tu trouves que ça sonne pareil ?

La jeune fille admet qu'il y a une nette différence.

– Pourquoi n'ai-je rien entendu alors ? renchérit-elle.

– Parce que tu as des bouchons de cire dans les oreilles, ma fille. Lorsqu'on sera sorties de cette forêt, va te faire cureter au plus vite.

« Amandaaaaa ! » La vieille dame pousse un cri d'effroi. On vient de lui gémir son nom directement dans le creux de l'oreille. Lyne a sursauté à son cri. Elle l'aperçoit, verte de peur, en train de pivoter sur elle-même pour chercher qui lui a fait ça.

– Pourquoi avez-vous crié ? s'empresse de lui demander Lyne.

– L'as-tu entendu cette fois ? dit la vieille toute tremblante, proche de l'apoplexie.

– Encore ?

– Ne me dis pas que tu n'as rien entendu ! C'est impossible, il a failli me défoncer le tympan. Il faut partir d'ici au plus vite, nous sommes en danger !

Amanda décide de partir, d'un pas pressé, claudiquant avec sa canne, poussée par une charge d'adrénaline colossale. « Attendez-moi ! lui dit Lyne en partant à sa suite, inquiète de la voir dans cet état d'excitation extrême. N'allez pas si vite, vous allez tomber ! » Fatalité, prémonition ou suggestion, Amanda trébuche sur le coup et s'affale sur le côté gauche. Lyne se précipite pour lui porter secours. La vieille dame étouffe un cri, se retourne sur le dos et grimace de douleur.

– Je me suis cassé la clavicule, gémit-elle en se touchant l'épaule.

– Pauvre vous ! Ça fait très mal ? Pouvez-vous bouger ? Vous lever ?

– Je vais essayer.

Aidée de Lyne, la dame parvient à se remettre debout, non sans se plaindre, mais supporte quand même assez bien son mal. Elle s'assoit sur un tronc d'arbre et respire à petits coups. Chaque respiration qui soulève sa cage thoracique lui cause une douleur qui irradie dans la région de la cassure.

– Vous ne pourrez pas marcher jusqu'à la rivière, encore moins jusqu'à la cabane. Il va falloir que vous m'attendiez ici. Je vais courir chercher du secours.

– Tu vas me laisser là, toute seule avec ce démon qui me pourchasse ! s'horrifie Amanda, très souffrante.

– Je n'ai pas le choix, madame Chagnon. Vous pouvez à peine respirer. Faites-moi confiance, je ne serai pas longue.

Lyne sait très bien qu'elle serait sortie de cette forêt depuis longtemps si elle n'avait pas été ralentie par le pas de la vieille dame.

– Et le démon ? Qu'est-ce que je fais s'il revient ?

– Quel démon ?

– Celui qui m'a chuchoté à l'oreille ! Celui qui m'appelle depuis qu'on a posé le pied sur ce territoire maudit ! On a toujours dit que cette région était hantée, et je commence à le croire.

Lyne la regarde, décontenancée. Croit-elle vraiment à ce qu'elle raconte ? Madame Chagnon s'aperçoit que la jeune fille ne la croit pas et elle devient hystérique :

– Tu crois que je suis folle, que j'invente tout ça !

– Calmez-vous, pour l'amour du ciel ! intervient Lyne qui la voit défaite, fragile, apeurée, dans ses habits blancs qui font ressortir la rougeur de son visage.

La main à l'épaule, Amanda s'inflige davantage de mal en se mettant dans un tel état.

– Très bien, consent-elle finalement, réalisant qu'il lui serait impossible de reprendre la route et qu'elle ne ferait que retarder Lyne.

Cette dernière ne doit pas perdre une minute de plus en bavardage et doit profiter de ce temps précieux qui reste pour tirer la vieille dame de là avant la nuit.

— Et le démon ? demande la jeune fille avec prudence, juste avant de filer.

— Il s'est tu... pour l'instant.

❖　❖　❖

Les policiers arrivent sur les lieux, très tôt en après-midi. Dominique est penché sur sa scie qui repose sur une marche d'escalier et s'applique à limer les gouges de la chaîne.

— Vous avez de la visite ? lance le chef de police, d'entrée de jeu, en arrivant à la cabane.

Il est suivi de ses deux comparses. Dominique sursaute à cette approche surprise et répond aussitôt en les voyant :

— Elle a disparu.

— Disparu ! répète Bilodeau pour qui ce mot est devenu sortilège.

— Sa voiture était là ce matin quand je suis revenu du village. Elle appartient à Lyne Francœur. Je l'ai appelée, mais en vain. Ne me demandez pas où elle est et encore moins ce qu'elle me voulait. Je n'attendais pas sa visite.

Bilodeau va se placer en face du vieux qui n'a pas interrompu son ouvrage.

— Savez-vous, monsieur Lapierre, que si vous n'êtes responsable d'aucune de ces disparitions, vous êtes sûrement le jouet d'un esprit machiavélique ?

Dominique lève les yeux sur cet homme suffisant.

— Ça veut dire quoi ça ?

— Qu'on essaie de vous faire inculper d'une façon ou d'une autre, de vous faire porter le chapeau. Auriez-vous des ennemis aussi vils et rancuniers ?

– Rancuniers ?

– Ne faites pas semblant de rien comprendre. Il y en a qui ont la mémoire longue. Un crime impuni restera toujours un crime impuni, surtout dans la tête de ceux qui ont subi la perte. On se comprend ?

– Pas besoin de me faire un dessin.

Dominique reprend son ouvrage. Il ajoute : « Un esprit machiavélique... ce n'est pas bête. »

Bilodeau soupire et dit aux deux agents qui attendent d'inspecter les lieux au cas où ils trouveraient des signes du passage de la fille :

– Vous en avez pour longtemps avec ça ? lance le chef de police sur un ton qui signifie qu'il n'a pas toute la journée devant lui.

– J'achève, répond Dominique.

– On est là pour la camionnette de monsieur Gamache, je vous le signale.

Il regarde ses subordonnés partis à la chasse aux indices et soupire : « Maintenant, cette fille ! Sacrement, qu'est-ce qui se passe dans cette région ? Les extraterrestres l'ont-ils adoptée pour perpétrer des enlèvements ? » Dominique s'esclaffe. Franchement, c'est la meilleure qu'on lui ait faite depuis longtemps.

– Ça vous fait rire ? dit Bilodeau, offusqué.

– Oui, ça me fait rire. C'est la première fois que vous portez des soupçons sur autre chose que moi.

– N'allez pas penser que je crois ce que je viens de dire. Je sais très bien que les extraterrestres n'existent pas. Pas plus que les mauvais esprits d'ailleurs, ceux qui rôdent et tuent pour se venger.

– Pourquoi parlez-vous de ça ?

– À cause des rumeurs.

– Quelles rumeurs ?

– Celles qui circulent ici. Les habitants de Jérico sont en train de perdre la tête. On commence à dire, à cause de la disparition du curé et de monsieur Gamache, qu'il y aurait peut-être une force, un esprit, un démon ou je ne sais trop quoi qui se ferait justice et serait l'auteur de tous les crimes perpétrés dans le coin. Des absurdités ! Les gens de la campagne sont portés à se laisser berner par toutes sortes de légendes folkloriques. C'est pathétique.

— Pas tant que ça, dit le vieil homme en se redressant, ayant terminé le limage de sa scie. Maintenant, allons voir cette camionnette, ajoute-t-il en invitant l'autre à le suivre.

Le chef désigne Taillefer pour effectuer la surveillance près de la cabane au cas où Lyne Francœur se pointerait. Dominique, suivi de Bilodeau et Miron, descend le raidillon et s'arrête près de la rivière.

— On va passer là-dessus ? interroge Bilodeau, perplexe, considérant périlleux de traverser sur ce chapelet de roches.

— Si je peux le faire, vous le pouvez aussi, répond Dominique qui s'engage sur les pierres.

Le chef lui emboîte le bas avec peu d'assurance. Malgré un léger déséquilibre à cause de son gros ventre, Bilodeau sautille quand même assez bien d'une roche à l'autre. Miron, jeune et athlétique, trouve l'exercice amusant, et Dominique leur fait l'étalage de son agilité. Finalement, il pose le pied sur l'autre rive avec une bonne avance sur le chef de police. Miron doit freiner ses ardeurs derrière ce dernier. Lorsqu'ils arrivent aussi de l'autre côté, le gros bonhomme pansu se penche pour reprendre son souffle. Dominique rit et reprend le pas aussitôt. « Pas si vite ! » soupire Bilodeau, qui aurait bien voulu profiter plus longtemps de cet arrêt.

❖ ❖ ❖

Lyne a enfin atteint la rivière. Elle choisit de remonter le courant. De cette façon, elle est sûre d'aller en direction de la cabane de Dominique. « Pauvre madame Chagnon, songe-t-elle, pourvu qu'aucun mal ne lui soit fait. »

Pendant ce temps, la vieille frissonne comme une feuille au vent, assise sur son tronc d'arbre. Elle a l'oreille constamment en alerte, car son intuition l'avertit que quelque chose essaie de la traquer, de l'approcher, de la contacter. Étrange sensation de vulnérabilité. Si au moins elle avait une arme pour se défendre. Tout ce qu'elle a, c'est cette canne en bois. Cette voix dans son oreille, elle ne l'a pas imaginée, c'était réel. Son épaule la fait souffrir et elle ose à peine respirer ou bouger. Pourquoi s'est-elle mise dans ce bourbier ? Tout ça pour venir rencontrer Dominique Lapierre sur son propre territoire et lui parler. Quel retournement des choses ! La voilà livrée à elle-même au cœur de cette damnée montagne qu'elle a toujours exécrée, soumise à d'éventuelles attaques, que ce soit des bêtes sauvages ou des esprits mauvais qui la hantent. « Amandaaaaa ! » souffle-t-on subitement à son oreille. Son cœur se met à cogner dans sa poitrine. « Amandaaaaa ! » répète la voix avec moins d'ardeur que ce fut le cas un peu plus tôt avec Lyne, mais c'est une voix qui semble lui parler de très près, à quelques centimètres à peine.

Prête à se briser comme une porcelaine, la vieille dame tourne lentement la tête sur la gauche, d'où provenaient les chuchotements. Il n'y a rien, pas âme qui vive. Elle se met à prier, puis à chanter nerveusement : « Dans la forêt, au cœur d'une clairière, un peintre un jour posa son chevalet. Dans le ruisseau courant sur la bruyère, il vit soudain Lison qui se MIRAIIIIT ! » s'écrie-t-elle en voyant se profiler sur le sol l'ombre d'une silhouette humaine, laquelle se met alors à tournoyer lentement autour d'elle et puis de plus en plus vite. Tellement que les feuilles sont soulevées et entraînées dans un tourbillon qui dresse un épais rideau en forme d'entonnoir au centre duquel Amanda gémit, enfouissant son visage dans ses mains. « Amanda ! Amanda ! » scande la voix lancinante, comme venue de l'au-delà. Elle se bouche les oreilles, supplie qu'on la laisse tranquille, se berce sur le tronc de l'arbre. Elle n'est même plus en mesure de ressentir la douleur dans son épaule. La peur a envahi tout son corps. Elle est en état de survie. Ses boucles blanches sont rudement malmenées par la force inouïe du vent qui produit un sifflement infernal et une succion qui menace de l'arracher à ses assises. Sa canne posée à ses pieds est happée dans le tumulte et tournoie lamentablement avec le reste des débris. Cela dure quelques secondes, ce qui lui paraît une éternité, quand enfin, dans un éclair de lucidité, elle s'écrie : « Qui es-tu ? » En écho à sa requête, un rire sardonique et retentissant se fait entendre, un rire grave, machiavélique, le rire d'un détraqué, d'un fou, d'un sadique. « Qui es-tu ? » répète-t-elle sous l'emprise de la panique, croyant que sa dernière heure a sonné et que, d'une minute à l'autre, elle va être soulevée dans les airs comme une vulgaire poupée de chiffon et projetée à mille lieues de là. Et le rire continue à faire retentir ses « Ha ! ha ! ha ! », tels des martèlements qui résonnent avec force dans sa tête. Touchée d'une illumination, elle crie à s'époumoner : « Mario Langlois ! C'est toi ? » D'un seul coup, tout s'arrête. Le vent tombe littéralement avec les feuilles et les débris en chute libre qui viennent s'accumuler autour d'elle en traçant un cercle. Plus rien. Le calme revient. La vieille dame relâche enfin sa tension et éclate en sanglots.

❖ ❖ ❖

Les deux officiers n'en croient pas leurs yeux en apercevant la camionnette noire d'Alcide Gamache renversée, nichée au beau milieu de nulle part dans cette forêt. Aucune voie d'accès possible, aucune trace qui montrerait qu'on a roulé jusqu'ici. Ils sont médusés, complètement dépassés par l'incohérence de la chose. La veille, près de la rivière, le fait qu'ils n'aient pu réussir à expliquer pourquoi il n'y avait qu'une trace de pneus, bien que la camionnette soit repartie, les avait déjà mystifiés. « Elle était donc là », constate bêtement Miron, la bouche grande ouverte comme une carpe. Bilodeau, en homme pragmatique, vérifie les papiers. « C'est bel et bien la voiture d'Alcide Gamache », déclare-t-il pour ajouter à la consternation. Dominique croit que c'est la main géante qui a fait cela, mais peu importe que ce soit elle ou la liane, c'est du pareil au même. C'est l'œuvre de la créature innommable.

— Comment expliquer ça ? demande Miron qui retrouve l'usage de la parole.

— Je n'en ai aucune idée, ne peut que répondre Bilodeau, qui remarque un resserrement sur la tôle, comme si on avait ceinturé le véhicule avec force pour le soulever. Quand l'avez-vous trouvé ? demande-t-il à Dominique.

– Hier, en fin d'après-midi. D'abord, j'ai entendu un bruit fracassant pendant que je pêchais dans la rivière. Il devait être environ quatre heures. J'ai fait cuire les truites, j'ai mangé, et après je me suis rendu jusqu'ici pour voir ce qui était à la source de ce bruit.

– Quatre heures, dites-vous ? répète Bilodeau en se remémorant la journée d'avant. Avez-vous vu passer un hélicoptère dans la journée ?

– Non.

– Vous pensez, chef, intervient Miron, qu'on a jeté cette camionnette ici du haut d'un hélicoptère ?

– C'est plausible, non ?

– En effet, abonde Miron, qui demeure incrédule.

– Je n'ai pas entendu d'hélicoptère, je le répète, dit le vieil homme. S'il en avait passé un à cet endroit, croyez-moi, je l'aurais entendu de la rivière. Ce n'est pas si loin.

– Et vos oreilles, elles sont bonnes ? argumente Bilodeau.

– Assez pour avoir entendu le fracas du métal, encore plus pour entendre celui d'un moteur d'hélicoptère.

– C'est logique, en déduit Miron.

– Rien ne prouve qu'il dit la vérité ! réplique Bilodeau . Il veut peut-être nous mener en bateau rien que pour nous en faire baver. Hein, monsieur Lapierre ? Ça vous amuserait de nous voir tourner en rond pour une affaire dont vous seul connaissez les tenants et les aboutissants ? Vous auriez votre revanche, depuis le temps qu'on vous harcèle ! Seriez-vous spécialisé dans l'art de cacher des renseignements judicieux en affaires criminelles ?

– Encore une fois, pensez ce que vous voudrez ! C'est pareil à la fois où je vous ai signalé la disparition de Justin Cyr. Vous m'avez accusé de l'avoir tué ou séquestré. Il est revenu en fin de compte. Sain et sauf à part ça. Et lui et moi venons de négocier l'achat de ma camionnette, ce qui prouve que je n'ai rien à me reprocher. En parlant de ça, il faut que je retourne à la cabane. Il doit venir chercher l'autre, ma vieille Dodge.

Dominique leur tourne le dos et repart. Ils ont vu ce qu'il y avait à voir et ils le suivent. Ils n'élucideront pas ce mystère maintenant.

❖ ❖   ❖

Il est plus de deux heures de l'après-midi quand enfin, Lyne voit poindre le toit de cèdre de la cabane de Dominique. Elle longe toujours la rivière, mais à cadence réduite. Cette course effrénée l'a complètement épuisée. Sa seule consolation est qu'elle aura sûrement perdu quelques kilos superflus et peut-être sauvé la vie de madame Chagnon. Lyne ne peut s'empêcher de penser qu'il lui est arrivé malheur et que les secours arriveront trop tard. Apercevant le policier qui fait le guet, assis au sommet du raidillon, elle lui crie, à la limite de ses forces : « Au secours ! À l'aide ! Vite, c'est urgent ! » Taillefer se précipite et court jusqu'à elle. Il lui prête son épaule et l'amène à la cabane où elle s'abreuve et s'assoit. Elle lui raconte leur mésaventure. « Il n'y a pas une minute à perdre », constate-t-il, après qu'elle lui a dit que la dame était très âgée, blessée et apeurée, et que son cœur pouvait flancher à tout moment. Heureusement pour eux, ils voient les trois autres revenir de leur escapade en sautillant sur les pierres dans la rivière.

– Vite, chef ! s'empresse de dire Taillefer, ayant accouru jusqu'à la rive pour les accueillir.

– Qu'est-ce qui se passe ? interroge Bilodeau, qui attrape la main que Taillefer lui tend.

– Une dame est blessée et attend d'être secourue, répond Taillefer.

Le chef saute enfin à terre et dit en soufflant comme un engin :

– Une dame ! Qu'est-ce qu'elle fait là ?

– On s'est perdues.

La voix de Lyne les fait tous se retourner. Elle vient de se pointer sur la côte.

– C'est vous, Lyne Francœur ? demande Bilodeau.

– Oui. Il n'y a pas une minute à perdre. Madame Chagnon attend dans la forêt. Elle est blessée et a très peur.

– Amanda ! s'étonne Dominique, qui pense avoir mal compris.

Lyne va les rejoindre. Elle a récupéré assez de forces pour les conduire là où attend la pauvre vieille.

– Dans quel état est-elle ? demande le chef de police.

– Elle s'est cassé la clavicule et a du mal à respirer. Marcher est un effort suprême pour elle.

Dominique lui demande de situer approximativement l'endroit où elle l'a laissée et il suggère d'aller là-bas en camionnette en empruntant un chemin de halage qui passe dans le secteur. « En criant et en klaxonnant, dit-il encore, elle vous entendra. » Dominique leur prête sa camionnette. Il n'y va pas, car il attend l'arrivée de Justin. Bilodeau prend le volant, Lyne s'assoit à ses côtés, et Miron et Taillefer s'assoient sur le coffre dans la boîte arrière.

❖　❖　❖

INALEMENT, c'est une journée qui se termine pas trop mal. Amanda a été retrouvée et ramenée à son domicile. Cependant, elle n'a presque pas parlé sur le chemin du retour, à bord de la voiture officielle, sous l'emprise d'un mutisme inquiétant. Connaissant la loquacité de la dame, Lyne remarqua d'emblée, dès qu'ils allèrent la cueillir sur le tronc de l'arbre, qu'elle avait le regard fixe, perdu, troublé par une chose qu'elle gardait secrète. Elle ne voulut rien dire à Lyne ni aux policiers de ce qui s'était réellement passé. Plutôt, elle leur inventa une petite histoire naïve qui parlait d'un gros porc-épic, lequel lui aurait donné la frousse lorsqu'elle l'a confondu avec un ours. Dominique n'a pas su ce qu'elle était venue faire sur son territoire, mais il se doute bien qu'il finira par l'apprendre.

Justin est venu récupérer la vieille camionnette en fin d'après-midi ; en se retrouvant sur les lieux où il avait été enlevé et ensuite ramené au monde des humains, il s'est senti subitement très nerveux. Tellement qu'à un moment donné, son cerveau s'est mis à lui renvoyer de drôles d'images et sa mémoire a tout débloqué ce qu'elle avait annihilé de ces quatre journées d'absence. Il s'empressa de tout raconter à Dominique : « On m'a fait faire un long survol au-dessus de la forêt. J'étais suspendu dans les airs. Quelque chose me tenait fermement. Je ne sais pas exactement ce que c'était. On aurait dit une branche très longue qui aurait eu le pouvoir de s'étirer à volonté. Là, elle m'a amené dans un endroit sombre et froid, un lieu que j'ai peine à décrire, sinon que ça ressemblait à une grotte ou à un trou sous la terre. J'étais assis sur le sol, j'entendais couler de l'eau, comme un ruisseau ou une rivière. Il y avait un peu d'air et quelqu'un respirait bruyamment et gémissait. J'entendais des lamentations, des supplications, de longues expirations de lassitude et de détresse. Comme il faisait noir, je ne pouvais voir qui se lamentait de la sorte. Parfois, le sol frémissait et je sentais des choses bouger autour de moi. On aurait dit des serpents gigantesques qui se tortillaient, m'effleurant au passage, mais sans jamais me faire de mal. D'ailleurs, à tout moment je croyais que j'allais être étouffé par l'un d'eux, mais il n'en fut rien. Et je suis resté là l'espace de ce qui me parut une éternité. Comme il y avait de l'eau qui suintait au bout de petites radicelles qui pendouillaient au plafond, j'ai pu boire au besoin. Pour toute nourriture, je croquais un insecte au hasard, lorsqu'il y en avait un qui marchait sur mon bras. Les secondes, les minutes, les heures... le temps n'en finissait plus d'être long. J'avais beau crier, frapper contre les parois et gratter pour me chercher une issue, je n'arrivais à rien. La terre était durcie et armée d'un réseau de racines emmêlées. Il me semblait que j'étais là depuis une éternité quand soudainement, le sol a tremblé avec plus de force que jamais et j'ai vu enfin une raie de lumière au-dessus de moi. Une large crevasse s'est ouverte et une chaleur bienfaisante est venue m'envelopper. J'étais niché dans un trou, comme une taupe, au pied d'un arbre dont j'apercevais la densité du feuillage qui laissait filtrer d'infimes particules du ciel bleu. On m'avait enterré vivant. D'instinct, j'ai essayé de sortir, mais les racines se sont mises à tisser une toile au-dessus de ma tête pour m'empêcher de me hisser à l'extérieur. C'est là que j'ai vu ces amoncellements d'os et de crânes humains qui recouvraient les parois. J'ai compris pourquoi je n'étais pas parvenu à y creuser un trou. Je me suis mis à crier de toutes mes forces pour qu'on vienne me sortir de là avant que la brèche se referme. Aussitôt, la toile s'est détricotée et j'ai cru que j'allais enfin pouvoir remonter. Une ombre est venue tout obscurcir et j'ai vu des doigts géants s'introduire dans la crevasse et m'attraper. La main géante me tenait fermement dans sa paume. J'étais pas plus gros qu'un caillou et je n'y voyais rien. Puis une voix m'a soufflé à l'oreille : " Monnaie d'échange. " Ensuite, je me suis retrouvé ici, dans le sentier. Voilà, je me souviens de tout maintenant. La mémoire m'est revenue complètement. »

Ce récit incroyable dépassait presque l'entendement de Dominique, bien qu'il en ait vu d'autres. Séquestré par ce démon et rendu à la liberté ? Le vieux lui demanda qui, selon lui, gémissait comme ça à l'intérieur. Et Justin répéta qu'il n'en savait rien.

Monnaie d'échange... Dominique commençait à comprendre. L'âme errante est lasse et en a assez d'attendre la rédemption. La mission approche. Justin fait partie du marchandage. Il a été chanceux. Dominique se sent interpellé plus que jamais. Comme dit Bilodeau : « Un jour ou l'autre, il faut payer pour ses crimes. » Bien sûr, Justin voulait savoir ce que tout cela signifiait, s'il n'avait pas tout simplement rêvé ou s'il était en train de perdre la tête. Mais Dominique lui dit d'oublier cette mésaventure et de n'en parler à personne, le temps que les choses se soient accomplies. Il le rassure sur le fait que ce qu'il a vécu est bel et bien réel. Plus confus que jamais, Justin consent à se taire, mais à la condition expresse que Dominique lui explique tout, en long et en large, après que ce soi-disant accomplissement aura eu lieu.

❖ ❖ ❖

'AUTOPSIE pratiquée sur le corps de Marco Lacroix, peu de temps après son décès, avait révélé une fracture du crâne et des côtes brisées. Sur sa peau, à la base de la cage thoracique, on avait remarqué une rougeur qui traçait un large ruban autour de son corps, comme si on l'avait ceinturé avec force pour le soulever. Pareil à la camionnette d'Alcide Gamache. Michaël, lors de sa déposition, avait raconté une histoire tout à fait farfelue à l'effet qu'une liane géante aurait surgi de la rivière pour attraper Marco par la taille et le projeter contre un arbre. On a ri de lui au poste, mais aujourd'hui, placé devant l'inexplicable, Bilodeau, le chef de police, ne sait plus à quel saint se vouer. De toute sa longue carrière en matière criminelle, c'est de loin le cas le plus étrange qu'il ait rencontré.

En ce lundi matin, il est neuf heures vingt-deux à la montre de l'homme de loi qui vérifie la fiabilité des sangles et des attaches qu'on a passées autour de la camionnette noire. Le souffle de vent puissant produit par les hélices de l'hélicoptère soulève leur casquette tandis que Miron et Taillefer s'affairent à la tâche. Dominique est là et observe. L'engin, qui fait un bruit d'enfer et qui fait valser la forêt, le fascine au plus haut point. Miron grimpe sur le véhicule renversé et attrape le gros crochet qui pendouille au bout d'un câble d'acier fixé à l'hélicoptère. Il l'accroche à l'anneau fixé à la camionnette et fait signe au pilote de remonter. La tôle craque, l'acier grince, la camionnette est arrachée au sol et s'élève doucement dans les airs. Les hommes s'écartent par mesure de sécurité, au cas où les sangles se rompraient, et voient le véhicule planer au-dessus de la forêt, emporté par l'oiseau d'acier qui file en direction de Jérico. Il a été convenu avec madame Gamache qu'on déposerait la camionnette dans la cour du garage de Justin Cyr. Bilodeau se tourne vers Dominique et lui glisse à l'oreille :

– Comment croyez-vous que cette camionnette ait pu atterrir là ? Répondez-moi franchement, sans détour.

— Même si je vous le disais, vous ne me croiriez pas.

— Essayez toujours.

— Il faut avoir une largesse d'esprit qui vous fait défaut, malheureusement, pour croire à ce en quoi je crois.

— Ne soyez pas si arrogant ! Et je ne suis pas aussi borné que vous le pensez. J'ai une version de ce qui a pu se passer et je vais prendre le risque de vous la dire, même si cela va à l'encontre de ce que j'ai toujours dénoncé. Je veux parler de votre folklore rural et de ces rumeurs qui circulent depuis un bon bout de temps à l'effet qu'une force... démoniaque, diabolique serait à la source de tous ces drames. Un adolescent a été tué la semaine dernière et son ami nous a dit qu'une liane géante sortie tout droit de la rivière s'est enroulée à sa taille et l'a projeté contre un arbre. Au poste, nous n'avons pas cru cette histoire, mais à l'autopsie du garçon, on a vu la marque d'un resserrement à sa taille, ses côtes brisées et son crâne fracassé. Jusque-là, je croyais à un coup monté de l'ami de la victime, qui dit s'être trouvé sur les lieux lorsque c'est arrivé. Je n'avais pas de preuves de sa culpabilité, mais je soutenais que c'était lui qui avait délibérément tué son ami et maquillé les faits sous l'emprise d'un choc nerveux ou d'une folie postraumatique, je ne sais trop. Toutefois, en voyant cette camionnette ici, j'ai été placé devant une véritable incohérence. La marque d'un resserrement autour du véhicule m'a frappé de l'effroyable certitude qu'une chose, que je ne peux nommer, a lancé cette camionnette par-dessus la forêt comme elle l'a fait avec le petit Lacroix.

— Une liane géante, lui rappelle Dominique, qui voit enfin tomber le masque de suffisance, d'assurance et de pragmatisme de son vis-à-vis.

— C'est comme ça que Michaël Desormeaux a appelé... la chose, dit Bilodeau.

— Cette chose, comme vous dites, n'est rien d'autre qu'une âme errante.

— Ne vous avais-je pas parlé de ces âmes errantes ? dit soudainement le chef de police, qui vient de réunir tous les morceaux du casse-tête. Vous êtes à la source de tous ces malheurs !

Il pointe un index accusateur sous le nez du vieil homme, qui avoue sa faute :

– Vous avez sans doute raison. Je le confesse.

– Alors que réparation soit faite !

– Ce sera fait ce soir même ! affirme Dominique.

❖　❖　❖

C'EST un soir de pleine lune, un soir où les fébrilités s'entrechoquent, s'unissent dans l'inconscience pour conduire à l'aboutissement d'une sombre affaire qui croupit et s'envenime dans le temps depuis plus d'un demi-siècle. Tous les protagonistes sont en alerte. Est-ce la forme arrondie de l'astre brillant, qui déverse sa lumière au-dessus de la région, qui suscite autant d'excitation ? On ne peut le savoir. Vient un temps où l'on ne peut plus faire autrement que foncer. Et c'est ce qu'ont décidé Sophie et Gino. Voilà deux jours qu'ils ont visité l'oncle Damien, qu'ils cogitent et rassemblent assez de courage pour se décider à retourner à la rivière afin d'apporter la preuve qu'une créature y vit et tue de façon systématique. Comme elle l'avait dit au curé, Sophie croit que la nuit est plus propice aux manifestations des forces du mal. Pourquoi ont-ils choisi précisément le même soir où Dominique aussi a décidé d'agir ? Mystère ? Coïncidence ? Destin ? Quoi qu'il en soit, Gino et Sophie sont en train de réunir toutes les choses dont ils auront besoin pour leur mission, soit une lampe de poche, une caméra vidéo, une carabine, un crucifix et de l'eau bénite. Il est plus de dix heures. Ils s'apprêtent à monter en voiture.

Ce soir-là, Michaël aussi a décidé d'aller à la rivière. Une pulsion incontrôlable l'y pousse. Même si Dominique l'a mis en garde contre son impulsivité et les dangers qu'il y aurait à y céder, il n'écoute que sa tête et fait taire son cœur. Une attirance malsaine l'appelle là-bas. Il ingurgite le reste de sa bouteille de bière qu'il rejette nonchalamment par la vitre de la voiture. Il roule sur le Troisième Rang. Anesthésié par les effets de l'alcool et guidé par la lune miroitante qui semble lui tracer la voie, il se sent maître d'une partie de l'univers, engagé dans un plan préétabli dans lequel il joue un rôle de très haute importance.

Dominique, lui, n'aura de satisfaction que lorsqu'il saura ce qu'Amanda Chagnon lui voulait. Il sort tout juste de la forêt, à bord de sa camionnette, et s'engage dans le chemin du Bras. Au tableau de bord, le cadran numérique indique dix heures treize. Il n'a pas le temps d'aller la voir chez elle. Il a bien vu, lorsqu'on l'a sortie de la forêt, la terreur sur son visage. Il sait qu'elle a été approchée, attaquée, affectée par la créature d'une façon ou d'une autre, mais la priorité de Dominique, pour l'heure, c'est le vieux chêne. Il n'est jamais retourné là-bas depuis l'époque où Catherine a été tuée. Il ne peut plus éviter cette confrontation. Trop d'innocents sont morts, et il sait qu'il est le seul à pouvoir arrêter le massacre. Il souhaite réussir à en réchapper, mais dans quel état sera son âme ? Pourra-t-il vivre en paix en sachant que tous ces malheureux sont morts par sa faute ? Trêve de questionnements. Une idée lumineuse lui traverse l'esprit tandis que la voiture roule lentement sur le petit chemin étroit, tous phares allumés. Il s'arrête, sort du véhicule et prend son téléphone cellulaire. Il compose le numéro de Justin. C'est le seul qu'il connaisse. L'ayant en ligne, il lui demande de chercher le numéro d'Amanda Chagnon dans l'annuaire. Ceci fait, il le note, remercie son interlocuteur et coupe la conversation. Il compose alors le numéro d'Amanda.

– Oui, allô !

– Amanda ? C'est toi ?

– Qui est-ce ?

– Dominique.

– Dominique Lapierre ?

– Lui-même. Est-ce que tu dormais ?

– Pas encore, mais j'étais couchée. Qu'est-ce que tu me veux ? dit-elle d'une petite voix, le bras en écharpe.

– C'est plutôt à moi de te demander ce que tu me veux. Pourquoi es-tu venue chez moi aujourd'hui ?

Un silence, et puis :

– Pour te parler. Mais je n'en ai plus envie maintenant.

Il la sent nerveuse, inquiète.

– De quoi as-tu peur ?

– De rien ! s'empresse-t-elle de dire, assise dans son grand lit, triturant l'édredon de sa main libre.

– Ne me raconte pas d'histoires, veux-tu ? Je n'ai pas le temps de jouer aux devinettes. Je suis pressé, j'ai une urgence. Dis-moi ce qui s'est passé aujourd'hui.

Il l'entend soupirer fort.

– Lyne et moi, on s'est perdues, raconte Amanda ; elle m'a laissée seule pour aller chercher du secours et c'est là que...

– Continue.

– ... que... je l'ai vu !

– Qui ça ?

– Lui !

– Qui, lui ?

– Mario ! Mario Langlois ! Tu te rappelles de Mario Langlois ?

Dominique est sous le choc. Il bredouille :

– Bien sûr... que... je me rappelle de lui. Mais il a disparu, Amanda. On ne l'a jamais revu. Et toi, tu dis que tu l'as vu ? C'est insensé !

– Pourquoi dis-tu cela ? S'il a disparu, c'est qu'il peut revenir. Je te dis que c'était lui !

– Tu as rêvé ! persiste Dominique.

– Non ! Il m'a parlé, et quand j'ai crié son nom, il s'est en allé.

– L'as-tu vu de tes yeux vu, ou n'as-tu entendu que sa voix ?

– J'ai vu son ombre sur le sol, mais je ne l'ai pas vu, lui, de mes yeux vu, comme tu dis. Heureusement, autrement je serais morte sur le coup.

Dominique l'entend lui relater les faits tels qu'ils se sont réellement passés : la voix dans son oreille, l'ombre sur le sol, le tourbillon autour d'elle, le rire sardonique. Elle finit en disant, encore sous le choc : « Il veut tirer vengeance, j'en suis certaine ! As-tu quelque chose à voir dans cette affaire ? » Elle est sous analgésiques puissants. Elle n'a pas voulu rester à l'hôpital. Dominique lui répond :

– Oui, ce soir même, tout sera réglé. Définitivement. Les âmes pourront dormir en paix.

– L'âme de Catherine ?

– La sienne, d'abord.

– J'étais passée te voir aujourd'hui pour m'excuser de t'avoir fait porter le poids d'une faute qui n'était pas la tienne. Autrefois, j'avais peur qu'on accuse mon mari.

– Je sais. Pour ce qui est de mes fautes, je les assume.

– Tu n'en as aucune.

– Merci de le croire, Amanda, mais il faut que je te laisse.

La communication s'arrête là. La vieille dame repose le combiné, respire enfin d'aise et ferme la lampe. Dominique remonte dans la camionnette. Son cœur bat plus fort que jamais. Catherine est loin ce soir. Il l'a appelée quelques fois, mais elle est restée muette. Pourtant, il n'a jamais eu besoin d'elle plus qu'en ce moment.

❖ ❖ ❖

Au volant de la voiture de sa mère, Gino négocie les virages nerveusement. Sophie aussi est très tendue. Leur sort et celui de l'oncle Damien sont entre leurs mains. Avant d'arriver au chemin d'Alcide Gamache, il dépasse la voiture de Michaël, qui s'est arrêté pour soulager sa vessie gonflée de bière. Ce dernier voit la voiture ralentir et tourner à droite pour s'engager dans la petite route qui mène à la rivière. Michaël n'a pas reconnu les occupants de l'automobile, qu'il aurait eu du mal à identifier tant il est éméché. Dans le coffre à gants de sa Mustang, il déniche un couteau à cran d'arrêt qu'il glisse dans sa poche, question de se protéger, puisqu'il a convenu de se rendre lui aussi à la rivière. Avec tous ces drames qui surviennent, vaut mieux être armé.

Dominique roule maintenant dans le Troisième Rang, et son compteur de vitesse indique cent kilomètres à l'heure. La camionnette Chevrolet dévore littéralement la route. Pour arriver jusque-là, il lui a fallu traverser le village sur toute sa longueur, et pour ce faire, il n'a pas respecté les limites de vitesse. Une voiture de patrouille l'a intercepté et l'a pris en chasse. Le vieil homme a vu les gyrophares dans son rétroviseur, mais il n'a pas ralenti pour autant. Il a une mission à accomplir et rien ne l'en empêchera. Il file droit en direction du chemin d'Alcide Gamache, talonné par les patrouilleurs qui font scintiller leurs feux et claironner la sirène.

❖   ❖   ❖

L'air est frais. Sophie a une veste sur les épaules. Gino est en t-shirt et se frictionne les bras. Le sous-bois est lugubre. La lune est comme un œil géant fixé sur eux, voyeur, complice d'une tragédie qu'ils anticipent fébrilement.

– On ne devrait pas être ici, dit soudain Gino, conscient des dangers qui les menacent et de la témérité de leur geste.

– On le fait pour ton oncle. Ne pense qu'à lui, l'encourage Sophie qui chuchote, par peur d'éveiller la créature.

Pourtant, n'est-ce pas ce qu'ils souhaitent, l'éveiller pour fournir la preuve qu'elle existe réellement ? Sophie a la caméra dans les mains. Gino brandit la lampe de poche qui projette un faisceau lumineux, et il porte la carabine en bandoulière. Le crucifix est pendu au cou de la jeune fille qui marche craintivement, l'œil et l'oreille aux aguets. Le flacon d'eau bénite est dans la poche du pantalon de Gino, c'était son idée. Sophie sait maintenant qu'il la croit. Ils avancent jusqu'au bord de l'eau et attendent en retenant leur respiration. Sophie a l'œil dans l'objectif de la caméra et Gino pointe la lumière et l'arme. Pas une brise, pas un bruit, rien que le clapotis de l'eau. C'est comme le calme avant la tempête. Après un bon moment, lassés d'attendre, les bras lourds d'être figés dans leur position, ils s'accordent une trêve et vont jusqu'au chêne. Au passage, le bout du pied de Sophie s'accroche à quelque chose. À la lumière de la lampe, ils voient la boucle d'une courroie. Elle tire dessus et extirpe un appareil photo de la terre. Ils sont surpris d'une telle découverte. Elle dépose sa trouvaille plus loin sur le sol, et dans le halo lumineux, ils regardent les inscriptions sur le tronc de l'arbre. Sophie revoit celle qu'a faite Michaël et reconnaît le cœur qu'elle-même a tracé, sans y mettre ses initiales. Cela la chagrine encore. Elle dit à Gino : « Et si on gravait notre amour à notre tour ? » Gino n'espérait que cela. Pour lui témoigner son accord, il l'embrasse, lui remet la lampe, appuie la carabine contre l'arbre, sort un canif de sa poche et commence à sculpter un cœur dans l'écorce rugueuse.

Pendant ce temps, Michaël arrive à la lisière du bois. Comme il y a une pente douce pour y accéder, ne voulant pas alerter ceux qui l'ont précédé, il passe la manette de la transmission en position neutre et éteint les phares. Ainsi, il glisse en silence jusqu'à l'orée de la forêt où il s'immobilise, et il descend de voiture en évitant de claquer la portière. Il entre dans le sous-bois à pas de loup.

Dominique, lui, vient de s'engager dans le chemin d'Alcide Gamache, toujours suivi de la voiture de patrouille. C'est Bilodeau et Miron qui l'occupent, et dès qu'ils ont reconnu la camionnette du vieux, Bilodeau a fermé les gyrophares et fait taire la sirène. Il sait que Dominique est là pour mener à bien sa mission et il ne veut pas interférer dans sa démarche, mais plutôt l'aider au besoin.

Du bout de la petite lame, Gino achève d'inscrire ses initiales dans le cœur et remet le couteau à Sophie qui commence à tracer le sien. Les apercevant dans la pénombre, appliqués sur le tronc de l'arbre, Michaël sait ce qu'ils sont en train de faire, et la jalousie maladive, l'instinct de possession et la colère montent en lui comme la lave sulfureuse d'un volcan. Presque titubant d'ébriété, il fonce sur eux tel un forcené en s'écriant : « Traîtres ! Je vais vous tuer ! Traîtres ! » Se retournant vivement, Gino dirige la lumière sur lui. Michaël a une mine épouvantable, ravagée par la démence. Il charge sur eux comme un taureau enragé. Ils ont peur et tentent de s'enfuir, mais le fou furieux sort le couteau de sa poche et le brandit sauvagement. La lame miroite sous la lune. « Restez là ! » ordonne-t-il en les fustigeant du regard. Gino et Sophie sont acculés au tronc de l'arbre. Michaël est aveuglé par la lumière et se couvre les yeux de son bras. Gino en profite pour saisir son arme, mais estomaqué, il voit s'étirer une main feuillue qui attrape la carabine par le canon et l'envoie planer très loin en arrière. « Donne-moi cette lampe de poche », dit Michaël. Ne sachant plus dans quel monde il vit, ne sachant même plus son propre nom tellement il est sous le choc, Gino obéit instinctivement à Michaël en lui lançant la lampe.

– Pourquoi as-tu fait ça ? l'admoneste la jeune fille. Tu n'avais qu'à prendre la carabine !

– Elle n'est plus là, répond Gino d'une voix hachée par la peur.

– Comment ça ?

– Elle n'est plus là, je te dis ! répète-t-il au bord de la crise de nerfs.

À peine l'auto patrouille a-t-elle roulé quelques mètres dans le chemin d'Alcide Gamache que le moteur cale subitement sans raison apparente, et les portières se cadenassent toutes simultanément. Impossible de sortir. Ils voient s'éloigner au-devant d'eux la camionnette de Dominique.

« Je vais vous tuer ! » crache Michaël, qui fait quelques pas de plus vers Sophie et Gino. C'est alors que la terre commence à frémir et que le tronc de l'arbre se met à onduler. Sophie et Gino n'ont pas le temps de faire un seul geste ; ils sont attrapés, ligotés, réduits à l'inaction par les racines et les branches qui s'enroulent à leurs poignets et à leurs pieds, les soumettant ainsi aux mains de Michaël qui est sidéré par le spectacle. Brandissant toujours le couteau à hauteur d'épaule, il se remémore alors l'instant où lui-même a failli être tué par la main géante et repense aux paroles que Dominique lui disait. Ces mêmes paroles lui arrivent brusquement à l'oreille : « Ne succombe pas à ton impulsivité, Michaël ! » crie Dominique qui vient d'arriver. Il a traversé tout le sous-bois avec son véhicule dont il descend à peine. Hésitant, paralysé par la peur et effrayé à l'idée qu'on puisse l'attraper à son tour et le tuer, Michaël se met à trembloter. C'est alors qu'une voix venue de l'au-delà, puissante et caverneuse, lui ordonne : « Tue-les ! Tue-les ! » « Ne l'écoute pas, Michaël ! Ne l'écoute pas ! » le supplie Dominique qui s'approche prudemment. Sophie et Gino ont l'œil rivé sur la lame tranchante du couteau que Michaël pointe à quelques centimètres d'eux. « Michaël, je t'en prie... » supplie Sophie en larmes. Gino prie en son for intérieur. L'assaillant est aux prises avec d'effroyables déchirements intérieurs. Il sait qu'il doit fuir au plus vite, mais en même temps, il ressent en lui une envie irrépressible de les transpercer tous les deux. « Allez ! Tue-les ! répète la voix inhumaine. Elle t'a rejeté comme un déchet, et ils se moquent de toi. Tu ne mérites pas un tel châtiment ! Tue-les maintenant ! Allez, ne sois pas lâche ! » Michaël bloque sa respiration et s'apprête à frapper, mais Dominique, qui s'est rapproché de lui, dit encore : « Pense aux anges, Michaël ! Pense aux anges ! Ils sont là près de toi et prient afin que tu les épargnes. » Et c'est ce qu'il fait. Il se met à penser aux anges et voit même leur incarnation dans l'innocence et la pureté qui s'expriment sur les visages torturés de Sophie et de Gino. Michaël fond en larmes et le couteau lui glisse des mains. Mais à l'instant où il croit pouvoir s'enfuir, à ses pieds, une racine surgit vivement du sol, s'enroule autour de lui à une vitesse fulgurante et l'attire brutalement dans la terre en une fraction de seconde. Il lâche à peine un soupir avant de disparaître sous terre.

Dominique n'a plus une seconde à perdre. Il court chercher sa scie à chaîne dans le coffre de la camionnette et revient aussitôt pour secourir les deux malheureux qui sont toujours dans leur position d'écartèlement, prisonniers de l'arbre maudit qui s'agite en tous sens, faisant claquer de longues racines qui fouettent l'air, et rejetant une pluie de sang qui tombe des feuilles. Dominique fait rugir la scie et s'attaque bravement aux liens qui les retiennent. Le sang gicle des blessures infligées aux racines par la scie, et l'arbre, se sentant menacé et agressé, relâche perceptiblement son emprise. Tant et si bien que Sophie, en se débattant comme une furie, parvient à s'arracher d'elle-même à ses liens. « Va chercher le sécateur dans le coffre ! » lui crie Dominique, qui a coupé les deux racines qui retenaient les pieds de Gino. Il tente maintenant de couper les branches qui lui tiennent les mains. Sophie revient en courant avec le sécateur. Une racine grosse comme le bras jaillit soudainement du sol et s'enroule autour de Dominique. D'une voix entrecoupée par la pression exercée sur son corps, celui-ci dit à Sophie de couper les liens de son ami tandis qu'il s'attaque à la racine qui lui broie les os. Il la sectionne enfin à la base et fonce avec la chaîne dévoreuse directement sur le tronc de l'arbre. La morsure fait gicler le sang avec profusion. Un cri épouvantable résonne dans le cosmos, et l'arbre se met à trembler comme s'il se savait vaincu. Sophie sectionne le dernier lien qui retient Gino, et ils s'écartent pour ne pas être happés à nouveau. Ayant récupéré la lampe de poche restée au sol, Sophie dirige le faisceau sur le vieil homme pour lui procurer toute la lumière dont il a besoin pour mener à bien son entreprise. Tout ce sang qui s'échappe de la plaie affaiblit l'arbre, et à mesure que la scie gagne des centimètres sur le tronc, les lamentations venues de l'au-delà se font plus torturées, empreintes de souffrances extrêmes. Dominique redouble d'ardeur, car il sait qu'il vaincra. Cet arbre aurait dû être coupé depuis des lustres.

Sophie reprend ses esprits et se rappelle qu'elle a aussi une mission à accomplir. Elle remet la lampe à Gino et commence à filmer la scène. Dans le bassin de la rivière, la liane géante se débat comme un serpent de mer, tente de se redresser, mais n'y parvient pas. Molasse, sans turgescence, agonisante, éclaboussant le rivage, elle se tortille lamentablement comme un ver. Sophie court la filmer tandis qu'elle agonise. Dominique achève le massacre. Le sol se fendille au pied de l'arbre, s'ouvre en de profondes crevasses, et le vieil homme manque de chuter dans l'abîme. Il s'ancre de pied ferme sur les racines et tient bon. Gino aperçoit des ossements et des crânes humains qui sont expulsés de la terre en rafale. Le corps inanimé de Michaël refait surface. « Sophie ! » lui crie Gino. Elle accourt, voit le spectacle désolant et, des ruisseaux de larmes sur les joues, emmagasine tout sur sa pellicule. Les corps de Jonathan et de monsieur Gamache refont aussi surface, vidés de leur sang. Deux autres, en état de putréfaction avancée, remontent aussi. Ce sont ceux de Pauline Sarrasin et de Cédric Dumont qu'ils reconnaissent grâce à la bague à leur doigt qui appartient au groupe des Nouveaux Artistes. « Nooooon ! » crie la voix inhumaine, alors que le chêne oppose ses dernières résistances. On entend craquer le bois, l'arbre s'incline, et Dominique pousse avec son épaule pour le faire tomber. Gino s'empresse d'aller l'aider.

Bilodeau s'est décidé à briser la vitre avec la crosse de son arme. Miron et lui sont enfin sortis de la voiture et courent dans le chemin en s'éclairant d'une lampe de poche pour se rendre jusqu'à la rivière.

Dans un fracas retentissant, l'arbre centenaire tombe enfin sur le flanc. Le visage barbouillé de sang, Dominique arrête la scie. Ils croient que tout est fini, mais c'est à cet instant que jaillit de la terre, à quelques mètres de là, sous les peupliers, un squelette humain qui se dresse et marche jusqu'à eux en produisant un bruit lugubre.

– Dominique Lapierre ! profère cette horrible entité entre ses mâchoires grinçantes.

– Mario Langlois ?

Bilodeau et Miron viennent d'arriver en courant et s'arrêtent net en voyant la scène. Ils restent en retrait.

– C'est moi, répond le squelette de Mario. Tu croyais que je ne reviendrais jamais, hein ! Que tu aurais la paix après avoir fait ce que tu as fait. Eh bien, tu t'es trompé ! Je ne partirai pas tant que je n'aurai pas obtenu ce que je veux.

– Que veux-tu au juste ? Tu as tué plein d'innocents. Que veux-tu de plus ? Ma vie ? Prends-la si tu es capable !

– Oui, ta vie ! J'aurais pu la prendre bien avant ça, mais quelqu'un m'en empêchait.

– C'est moi qui t'en empêchais ! dit alors une voix féminine venue aussi de l'au-delà.

– Catherine ! s'écrie Dominique qui la reconnaît aussitôt.

– C'est moi, répond-elle en surgissant comme un fantôme des profondeurs de la forêt.

Dans une forme éthérée, vaporeuse, elle avance dans sa robe blanche, la même qu'elle portait à sa mort, radieuse, plus belle qu'autrefois, ses longs cheveux blonds ondulant sur ses épaules, gracieuse comme un ange. Elle marche jusqu'au bord de la crevasse, près du squelette de Mario, et s'arrête. Elle sourit tendrement à Dominique et s'adresse à Mario qui, miraculeusement, retrouve lui aussi sa forme éthérée. Beau comme un dieu, noir et vêtu d'un complet sombre d'époque, il se réjouit d'avoir cette apparence et dit à la nouvelle venue :

– Tu aurais dû être à moi et non à lui. Tu m'as trahi !

– Je ne t'ai pas trahi, reprend Catherine. Je ne t'aimais pas. Mon amour était pour Dominique et il l'est toujours d'ailleurs.

– Ce vieil homme, réplique Mario avec mépris.

À l'époque, en juillet 1944 plus précisément, Dominique et Catherine allaient bientôt s'unir devant Dieu et les hommes. Un beau matin, ils décidèrent de se rendre à la rivière pour s'y baigner, comme c'était déjà la coutume à l'époque pour plusieurs. Le chêne, qui était mi-centenaire, attirait déjà plein de romantiques qui aimaient par-dessus tout s'allonger à son ombre et rêvasser. Mais Mario Langlois s'opposait franchement à cette union qui allait bientôt être officialisée, et il déployait des efforts suprêmes d'imagination pour l'empêcher. Mais la fatalité avait jeté ses cartes. Le mariage aurait lieu, qu'importe le stratagème qu'il inventerait. Homme impulsif et jaloux, il ne put s'y résigner, et lorsqu'il croisa au village, ce matin-là, les amoureux qui s'en allaient à la rivière à bord de la nouvelle voiture que venait d'acquérir Dominique, la rage le consuma littéralement. Il partit s'acheter une bouteille d'alcool et fila lui aussi à la rivière, là où il savait qu'il les retrouverait.

Arrivé sur les lieux, il vit Catherine et Dominique en train de graver leur amour dans l'écorce du chêne. Sous l'emprise d'une jalousie maladive, il s'élança sur eux et poignarda sauvagement Catherine qui tomba sur le sol comme un oiseau blanc. « Catherine ! Non ! » s'était écrié Dominique en se penchant sur elle, pour constater qu'elle était morte. Mario, ayant conservé le poignard, voulut tuer Dominique à son tour, mais ce dernier, en état de choc et pour sauver sa peau, livra bataille au forcené et parvint à lui faire échapper le couteau ; il s'en empara et le poignarda.

Immédiatement, Dominique enterra le corps de Mario Langlois à quelques pas de là et mit celui de Catherine dans la voiture. Il fit disparaître celle de Mario et se rendit jusqu'à la route des Sauvages où il déposa la dépouille de sa bien-aimée, en bordure, pour que son sang macule le sol et fasse croire à une tout autre histoire. Après quelques minutes à gémir de désespoir, à la contempler sur son dernier lit, pâle, sa belle robe tachée de sang, ses beaux cheveux épars, il la remit dans la voiture et la ramena au village pour raconter la version qu'il inventa, voulant qu'un mystérieux assassin ait poignardé sauvagement sa fiancée aux abords de la route des Sauvages.

❖ ❖ ❖

Le trio, à nouveau réuni dans des circonstances qui dépassent l'entendement, vient de relater à quelques détails près la même histoire, au su et au vu des personnes qui sont là et écoutent attentivement. Voilà cinquante-six ans qu'on cherche à élucider ce mystère. Les autorités pourront finalement procéder et fermer le dossier définitivement.

— Pourquoi es-tu resté ici ? demande Catherine à Mario.

— Pour me venger de lui ! dit-il à Dominique. Il a pris ma vie ! C'est normal que je veuille prendre la sienne !

— Pourquoi ne pas m'avoir tué avant ? l'interroge Dominique. Tu as eu plusieurs occasions de le faire, mais tu m'as toujours épargné. Tu préférais tuer des innocents !

— J'avais besoin d'alimenter ma rage, ma soif de vengeance, mon besoin de voir couler le sang. Que m'importe la vie de ces innocents ! J'entretenais cette colère qui était en moi, cette envie de détruire, jusqu'au moment où j'allais enfin te revoir et tirer vengeance ! Le drame s'est passé ici, il fallait qu'on s'y retrouve pour régler nos comptes. Je savais que le même scénario allait se reproduire un jour ou l'autre. Je l'attendais depuis une éternité et j'ai élu Michaël pour assouvir ma vengeance. Lorsqu'il est venu ici et qu'il a démontré de la jalousie et un amour possessif à l'égard de son amie, toi, dit-il à Sophie qui tremblote comme une feuille au vent, mais qui continue quand même de filmer, je l'ai choisi pour jouer le premier rôle. N'était-il pas un acteur en devenir ? Il était parfait pour moi. Je n'avais plus qu'à semer en lui la graine du mal. Je n'ai pas eu de difficulté puisqu'il était athée. Ce soir, je jubilais lorsqu'il est arrivé et qu'il a voulu vous tuer tous les deux. J'allais pouvoir enfin assouvir ce besoin viscéral dont je me languissais cruellement depuis les tout premiers instants où mon corps a été déposé sous cette terre comme une vaine carcasse. En vous tuant, il me rendait victorieux sur la trahison amoureuse dont j'avais été victime, rachetant du coup ma liberté. Vengé, je pouvais finalement partir pour l'autre monde.

— Et lui, le coupe Dominique, il perpétuait ton œuvre maudite !

— Oui !

— Je ne t'ai jamais trahi, Mario, répète fermement Catherine. Mon âme non plus n'a pas trouvé le repos, ajoute-t-elle, car ton esprit vengeur m'a gardée entre deux mondes et empêchait aussi Dominique d'être en paix.

— Tu regrettes ton geste ? interroge Mario, cynique, à l'endroit de Dominique.

— Jamais ! Tu as eu ce que tu méritais. J'ai défendu ma vie ! Mon seul regret, c'est d'avoir caché la vérité aux autorités par peur d'être accusé et condamné pour mon crime. Aussi, Catherine, je regrette de ne pas t'avoir laissée dormir tranquille, mais ma vie n'avait plus de sens sans toi.

— Je sais. Nous restions toujours unis et c'était merveilleux.

— Ta présence m'a permis de continuer.

— Mais aujourd'hui, précise-t-elle, maintenant que tout est terminé, je dois partir définitivement pour un monde meilleur. Je ne viendrai plus te voir, plus jamais.

Dominique ne souffle mot et la regarde tendrement pour s'imprégner de son image. Elle a raison, elle doit partir.

— Pas si vite ! s'oppose farouchement Mario. Moi, je n'ai pas obtenu satisfaction !

Il n'aime pas du tout cet air mélodramatique qui règne.

– Toi, tu auras droit à un service religieux, lui dit Dominique. Tes os seront enterrés au cimetière et ton âme trouvera peut-être la paix. La vérité éclatera au grand jour ; tout le monde saura que c'est toi qui as tué Catherine et que je n'ai fait que défendre ma peau. Mon seul crime aura été de cacher la vérité. Si je dois payer pour ça, je paierai.

– Par ta faute, rétorque Mario, j'ai erré ici pendant cinquante-six ans dans l'espoir d'obtenir réparation.

– N'essaie pas de te disculper de tes crimes ! tranche Catherine. Tu as enlevé la vie à des tas de gens, la mienne en premier. Tout ce que tu t'es mérité sur cette terre, c'est une place au premier rang sur la liste des plus dangereux criminels.

– Tu passeras à l'histoire, reprend Dominique. Cette jeune fille qui est en train de tout enregistrer sur sa pellicule deviendra sûrement millionnaire si elle décide de vendre ses images au plus offrant. Aussi, estime-toi chanceux d'avoir encore droit à une cérémonie funéraire ; si tu te repens, peut-être te mériteras-tu une place... convenable en haut.

– Ça ne marche pas comme ça ! s'entête Mario. D'ailleurs, je ne crois pas en toutes ces bondieuseries !

À cet instant, il voit miroiter sur le sol la lame du couteau ayant appartenu à Michaël. Il l'attrape vivement et fonce tout droit sur Dominique en vociférant comme un démon sorti des enfers : « Je vais te tuer ! » Catherine réagit en un éclair ; elle s'empare du sécateur qui est au pied de l'arbre et, d'un coup sec et tranchant, sectionne le tendon d'Achille du pied droit du forcené qui échappe le couteau et s'effondre en hurlant de douleur. Le visage torturé, il se retourne, aperçoit la jolie dame tenant toujours l'outil dans ses mains, et gémit en supportant son regard glacial :

– Pourquoi m'as-tu fait ça, Catherine ?

– Je devrais te tuer ! crie-t-elle à la limite de sa colère. Va-t'en, démon !

C'est alors que, venu du ciel, un faisceau lumineux d'une intensité incroyable descend droit sur lui, le cerne de toutes parts et l'emprisonne, telle une bête dans une cage. Il tente de fuir, mais les parois translucides sont infranchissables. Il sent aussitôt une chaleur intense et infernale venir jusqu'à lui. Il s'affole et s'écrie qu'il va brûler.

— Repens-toi ! lui dit Dominique.

— Non ! hurle-t-il tandis que sa peau commence à cloquer.

— Demande pardon pour tes crimes, si tu as encore un cœur ! ajoute Catherine qui le voit souffrir atrocement.

Ses cheveux noirs se détachent par poignées et tombent sur le sol, la pupille de ses yeux se dilate à l'extrême. Il fait peur à voir. En cassant la ficelle qui le retient, Gino arrache le crucifix au cou de Sophie et le montre à Mario en disant : « Vois Jésus qui est mort sur la croix pour racheter tes fautes ! Repens-toi si tu veux être sauvé ! » Pour chasser le mal, Gino prend l'eau bénite et en asperge la paroi du cylindre lumineux. À son contact, le liquide sacré se condense et part en nuée dans un sifflement.

Levant sur eux un regard haineux, le moribond leur crache avec une méchanceté inhumaine : « Soyez tous maudits ! » Il pousse un hurlement démoniaque tandis que sa peau se détache littéralement de son corps qui redevient squelette. Sous leurs yeux horrifiés, les autres voient descendre une nuée d'anges déchus qui lui arrachent son âme et l'emportent avec eux dans les ténèbres. Sur le sol, il ne reste plus que ses ossements. Le calme est revenu. Ceux qui restent sont abasourdis.

— Nous avons enfin trouvé la paix de l'âme, commente Catherine.

— Tu dois vraiment partir ? lui demande Dominique, ébranlé, attristé, qui la sent sur le point de faire ses adieux.

— Il le faut. Ma tâche est terminée. Je quitte enfin les limbes. Tu sauras me survivre, Dominique. Merci pour ton amour et ta bravoure. Merci aussi à vous deux d'avoir bien voulu jouer le jeu, dit-elle en s'adressant aux amoureux.

— Nous ne jouions pas, précise Sophie. Nous croyions en ce que nous faisions.

– Je sais, petite. Et cela vous a pris beaucoup de courage également. Il en fallait des acteurs pour mener à bien ce scénario. Les perdants dans tout ça sont Michaël et tous ces autres qui ont été tués. Ce sont toujours les meilleurs qui paient pour les crimes des autres.

Elle les irradie d'un large sourire, les salue de la main, et s'évanouit tout doucement comme une brume qui disparaît à l'aurore. « On se reverra ! » sont les dernières paroles qu'elle leur lance de l'invisible, d'une voix aussi douce et mélodieuse que le chant de la rivière.

❖ ❖ ❖

En ce matin de la mi-août, les parents de Pauline et de Cédric sont affligés devant les deux cercueils qu'on mettra en terre. Au moins, ils n'auront plus à vivre dans l'attente d'un miraculeux retour. Michaël, quant à lui, a été incinéré selon les désirs de ses parents athées. Le corps de Jonathan a été rapatrié en Estrie par sa famille, et celui d'Alcide Gamache est également en bière et attend avec les deux autres la fin de la cérémonie religieuse pour avoir droit à son dernier repos au cimetière. C'est monseigneur Guérin qui chante la messe. Le cercueil de Mario Langlois n'est pas avec les autres. Trois, ça suffit ! Surtout qu'il est le bourreau de toutes ces pauvres victimes. On procédera à son enterrement en après-midi, pour respecter les familles en deuil. On a aussi décrété qu'il sera enterré à l'écart, en bordure des clôtures, derrière un massif de rosiers. Dieu se chargera du reste...

La cassette vidéo n'a pas tout enregistré de la scène. On avait oublié que les fantômes n'ont pas de reflet, qu'on ne peut ni les voir dans un miroir ni sur une pellicule photo. Cependant, tout le reste y est : la liane géante dans la rivière, le sang qui gicle des blessures infligées à l'arbre, les racines qui s'enroulent autour des gens, le sol qui s'ouvre, les ossements et les corps qui refont surface. Dans l'appareil photo de Jonathan, on voit nettement sur les clichés le liquide rouge dans les nervures des feuilles. On aperçoit aussi la main de celui-ci avant qu'elle disparaisse dans la terre. Tout ce matériel a été remis aux plus hautes instances pour qu'on puisse l'étudier pour faciliter les affaires judiciaires.

Justin est ravi d'apprendre qu'il n'a pas perdu la raison et que son isolement sous la terre n'était pas une pure invention de son esprit. Il l'aura quand même échappé belle. Quant à Amanda, jamais elle n'aurait pensé que l'âme de Mario puisse à ce point faire des dégâts au-delà de sa mort physique. Toutes ces étrangetés et tous ces mauvais souvenirs... la montagne, qui s'élève à l'autre bout du champ face à sa maison, n'a plus que le pouvoir de la faire replonger sans cesse dans l'horreur de ces atrocités. Elle préfère s'en aller enfin à la Maison des Immortelles, au grand soulagement de ses enfants.

❖   ❖   ❖

L E temps a passé. Dominique a été blanchi par la justice. Il n'y a pas eu de procès. On n'a rien retenu contre lui, après tout ce temps. Septembre est là avec ses matinées plus fraîches. Le vieil homme en profite pour finir de tronçonner les quelques arbres qui restent en travers du sentier. Et pendant qu'il s'affaire ainsi à la tâche, Lyne Francœur arrive en fourgonnette avec un passager. Il arrête la scie et les observe. Le soleil éblouit le pare-brise et l'empêche de voir qui est là, à côté d'elle. La grosse fille descend ; la portière de droite s'ouvre et surgit la face souriante de François Francœur, le grand-père de Lyne, l'ami de toujours de Dominique.

– Je vous amène de la visite ! dit-elle, toute radieuse.

– François ! Mon bon ami ! l'accueille le vieil ermite en s'approchant de lui, la main tendue.

Ils s'étreignent et François dit :

– Je suis venu te dire que j'avais toujours su que tu n'avais rien à voir dans le meurtre de Catherine. Mais ce qui était arrivé à Mario, je n'en avais qu'une vague idée. Quelle folle histoire, tu ne trouves pas ? Et tout ça pour une affaire de cœur !

– Tu as raison. Un cœur brisé est parfois irréparable et peut provoquer l'apocalypse à lui seul si personne ne l'arrête. Quelle force dort en nous !

– C'est encourageant de savoir ça, observe Lyne, qui essaie de tirer le meilleur parti de ce triste épisode.

– Vas-tu continuer à vivre ici ? demande François à son ami retrouvé.

– Certainement. Pourquoi ? Tu penses que je n'ai plus raison de m'isoler maintenant qu'on a élucidé le mystère ?

– Les âmes sont en paix, la tienne aussi j'imagine, alors pourquoi te terrer ?

– Parce que ma vie est ici, François. C'est la terre de mes ancêtres. C'est là où j'ai survécu à la mort de Catherine. Le contact avec la nature m'a sauvé la vie et ouvert l'esprit. C'est grâce au murmure de la rivière, aux rumeurs du vent dans les arbres, à la compagnie des bêtes de la forêt et de tout ce qui fait que la nature est si significative au sein de la création que je suis toujours vivant. Elle nous ouvre l'esprit, je te le répète. Reste en contact avec elle et tu trouveras un sens à la vie. Moi, c'est ici que je mourrai. Mais mon dernier repos, je veux qu'il soit auprès de mes parents, au cimetière.

– C'est beau de t'entendre louanger ainsi la création, lui dit François. Je viendrai te voir plus souvent, maintenant qu'on a levé le voile sur le passé et que je te retrouve enfin, comme autrefois. Tu veux bien que je revienne ?

– Tu seras le bienvenu. Toi aussi, Lyne.

– Nous reviendrons.

❖   ❖   ❖

L'oncle Damien a repris du poil de la bête. Sophie et Gino l'amènent souvent en voiture pour lui faire visiter sa région dont il a été privé pendant tant d'années. I l loge chez sa sœur, la mère de Gino. Il y a déjà trois semaines qu'il a quitté l'institut. Il ne prend presque plus de médicaments depuis qu'il sait qu'il n'a rien imaginé. Le divorce d'avec sa femme sera bientôt prononcé ; elle ne s'était d'ailleurs jamais empêchée de voir d'autres hommes pendant qu'il croupissait là-bas. De plus, elle touchait une pension spéciale justement parce qu'il était interné. Quelle garce ! Elle verrait sous peu le démantèlement de son petit royaume lorsque la machine judiciaire viendrait départager les avoirs de chacun.

En ce samedi, à la veille de la rentrée des classes, pour la dernière fois, la troupe des Nouveaux Artistes s'est réunie près de la rivière afin de profiter des vacances jusqu'au bout et de rendre un hommage particulier à tous ceux qui ont disparu. Le vieux chêne n'est plus. On l'a débité, jeté au feu, et la souche a été arrachée par une excavatrice. Tous les ossements ont été récupérés, les trous dans la terre comblés, les racines dans l'eau coupées et brûlées également. Il ne reste aucune trace suspecte.

Dans la troupe, ils ne sont plus que sept. Sophie est demeurée la présidente du groupe. Ils sont tous attroupés au bord de la rivière, assis à même le sol ou sur des pierres, ne sachant pas exactement pourquoi elle les a conviés à cet endroit où cinq de leurs amis ont péri de façon extraordinaire. Calme et souriante, la jolie fille aux cheveux d'ébène se lève et leur tient ce discours : « C'est ici, à cet endroit, que sont morts nos amis : Pauline, Cédric, Sébastien, Marco et Michaël. Tout comme nous, ils caressaient le rêve de vivre de leur art et peut-être de connaître la célébrité. Mais la vie en a décidé autrement. Ils nous ont quittés. Je sais que là-haut, ils sont heureux et que leur talent n'est pas perdu, qu'ils le font fleurir à plein potentiel et qu'il ajoute à l'embellissement du paradis. Vous les voyez vous aussi ? » Ils acquiescent. Quelques-uns retiennent leurs larmes, d'autres les laissent couler ou bien sourient à l'image angélique qu'ils se figurent, ou encore ferment les yeux pour tenir un discours silencieux en leur mémoire. « Ils ne veulent pas que nous soyons tristes, poursuit Sophie en s'efforçant de garder le contrôle de ses émotions. Ils ne souhaitent qu'une chose, que leur mort ne soit pas vaine. Qu'on en tire une leçon... » « Laquelle ? » s'empresse de dire Céline qui laisse couler de grosses larmes de ses yeux d'émeraude. « Gino et moi, répond Sophie, on pense qu'ils ont été sacrifiés pour que revienne la paix à Jérico. Nous sommes trop jeunes pour le savoir, mais ça fait cinquante-six ans que cette région est divisée à cause d'un crime qui a été commis et qu'on n'arrivait pas à élucider. Le cœur des gens était rempli de peur, de haine, de colère et de vengeance. Toutes ces calamités nous ont affectés du fait que ces gens étaient nos parents et nos grands-parents. Nous portions les germes du mal par affiliation. Le mal, aujourd'hui, nous savons ce que c'est réellement, car nous l'avons vu se déployer dans toute sa grandeur et sa laideur. Ça fait peur. Gardons-nous de le faire. Si nos amis sont morts, c'est bien pour qu'on retienne ça... »

« Il faut faire quelque chose pour eux », propose Jean-Philippe. Ils tombent tous d'accord à l'effet qu'on érige un monument, une plaque commémorative pour eux qu'on installera à l'endroit où était le chêne. Le prêtre viendra bénir la plaque en présence des habitants de Jérico. Maintenant que tout cela a été réglé, Gino se lève pour chanter un hymne aux disparus, au grand enchantement de tous. Il a une voix si merveilleuse. Mais dès qu'il pousse la première note, une éclaboussure spectaculaire jaillit de la rivière, accompagnée d'un « paf ! » retentissant. Ils sont tous sidérés. La voix de Gino se meurt dans sa gorge. Une myriade d'yeux ronds, tels des œufs de tortue, fixent le cours d'eau dans lequel apparaît soudain la forme arrondie, sombre et rassurante d'un castor de forte taille. L'animal surnage et les regarde de ses petits yeux coquins, ayant l'air de dire : « Je vous ai bien eus ! » Et il plonge en tapant à nouveau avec sa queue aplatie. « Il veut qu'on parte, je crois, en déduit Gino. Il n'aime pas le chant, à ce qu'il paraît. » Ils rient et sont heureux de voir que la vie reprend enfin son cours normal. Vaillant et robuste, le castor leur fait l'étalage de sa grande dextérité et de sa force en travaillant sous leurs yeux à l'ébauche de ce qui va bientôt être une écluse. Ainsi, le bassin de la rivière n'abrite plus de créatures innommables, mais plutôt de gentilles bêtes valeureuses.

J'espère que cette histoire un peu folle et complètement sortie de mon imaginaire débridé a su vous captiver, l'espace d'un moment, et vous a permis une brève évasion. C'était mon but : vous divertir. À bientôt peut-être pour un autre voyage dans ce merveilleux monde de l'imaginaire...

André

MEMBRE DE SCABRINI MEDIA

Québec, Canada
2001